U0148861

張健・金志淵編撰

紅樓夢之情節

文史哲出版社印行

國家圖書館出版品預行編目資料

紅樓夢之情節 / 張健・金志淵編撰. -- 初版. -- 臺北市：文史哲,民 91
面： 公分
ISBN 957-549-465-2 (平裝)

857.49 91015138

紅樓夢之情節

著 者：張 健・金 志 淵
出 版 者：文 史 哲 出 版 社
http://www.lapen.com.tw
登記證字號：行政院新聞局版臺業字五三三七號
發 行 人：彭 正 雄
發 行 所：文 史 哲 出 版 社
印 刷 者：文 史 哲 出 版 社
臺北市羅斯福路一段七十二巷四號
郵政劃撥帳號：一六一八〇一七五
電話 886-2-23511028・傳真 886-2-23965656

實價新臺幣二六〇元

中 華 民 國 九 十 一 年 (2002)九 月 初 版

ISBN 957-549-465-2

序

《紅樓夢》是中國古典小說中的佼佼者，有人認為它是中國第一部偉大的小說，全書一百二十回，情節頗為複雜，以往從未有人把它的情節作一賅要的陳述。

本書即為彌補此一缺憾而作。

全書係根據台北智揚出版社在一九九七年元月所刊印之《紅樓夢》為底本，擷取其情節之精華，略加董理而成者。至於情節繁簡的取擇，乃依據原著精彩的程度而定，讀者幸垂鑒之！

張　健

二〇〇二年七月

紅樓夢之情節 目次

紅樓夢之情節

第一回 甄士隱夢幻識通靈 賈雨村風塵懷閨秀

《紅樓夢》開頭五回是全書的序幕，是故事正式開始之前的概括介紹。作者在本回裡，表述了自己的創作觀點和作書的緣起。

這個開場中，作者一表白態度，二撰寫神話，三敘述緣起。作者的態度，首先是「眞事隱」。第二部分是用女媧氏煉石補天的神話來說明「通靈寶玉」的由來，這個神話使「假語村言」的故事更富於神話色彩。第三部分簡單地說了故事的緣起，還沒有進入正文，而只是「甄士隱」〔眞事隱〕、「賈雨村」〔假語村〕以及「好即是了」的全書綱領。

作者在寫賈府前，首先寫的是甄士隱的家世破落和賈雨村的鑽營奔走。刻畫了甄士隱、英蓮、賈雨村、葫蘆廟門子。

甄家為一鄉宦，先是女兒英蓮走失，家中突遭火燒，乃投奔岳父封肅，「看看下世光景」，又遇僧、道解〈好了歌〉，離家出走。

窮儒生賈雨村則在甄士隱幫助之下，上京考試，中了進士，回來作縣太爺。

第二回　賈夫人仙遊揚州城　冷子興演說榮國府

本回還是一個開頭，對全書起介紹作用。前面寫賈雨村、林如海等人，介紹了林黛玉；後面演說榮國府，介紹了賈寶玉。

前面一部分簡單地概括了賈雨村做官的經歷。賈雨村在甄士隱的幫助之下，順利地考中了進士，選了外班，即做了縣太爺。他雖然有些才能，但暗中不免貪酷，因此不到一年，即被參丟官。第二年，賈雨村來到了江蘇揚州，正好當了新上任監務官林如海的女兒黛玉之家庭老師。黛玉雖然年少，卻十分聰明，因此賈雨村教學也輕鬆愉快。不料一年後，林夫人生病去世，原本自小身體虛弱多病的黛玉，因為悲傷過度，根本無法上學了。雨村閒著沒事，就常到郊外散心。有一天經過一家酒店，碰巧遇見老朋友冷子興。

通過古董商人冷子興的演說，概括地評介了賈府的世系、成員及史、王、林、甄四個親戚，重點介紹了主人公賈寶玉「乖僻邪謬」、「古今不肖無雙」的性格，及其與賈府家人的矛盾。同時，作者從賈府的盛況中，透顯出它的衰象，外面的架子雖沒倒，「內囊卻也盡上來了」，而且「子孫一代不如一代」。

第三回 託內兄如海薦西賓 接外孫賈母惜孤女

從本回開始，《紅樓夢》的男女主角正式出場。

賈雨村聽了冷子興的介紹，已詳細了解賈府的情況，也十分熟悉林如海與賈府的親戚關係，又聽同案被參舊同僚張如圭所說的起復舊員的消息，便想通過林如海投靠賈府謀復職。但在見到林如海時，明知林如海所說的「內兄」就是賈政，一切他都清楚，卻假裝糊塗，問林如海「不知令親大人現居何職」等等。林如海官職在身，照顧不了黛玉，便決定讓她到外祖家中居住。於是賈雨村帶黛玉去京都。賈雨村到京都找上賈政，賈政早就接到妹夫林如海的信，對賈雨村復職的事，更是不遺餘力地幫忙。

賈雨村把林黛玉送進榮府，作者讓出進賈府的林黛玉以敏銳的眼光引導讀者，察看這個貴族家庭的豪華生活環境，和森嚴的等級禮法，也把迎客時登場亮相的賈母、王夫人、王熙鳳，迎、探、惜春三姐妹等審視一通。借著黛玉的眼光，使讀者更進一層的認識書中人物和背景。

接著，寫男主角賈寶玉的出場。寶玉和黛玉初次見面，一經交談便「恍若遠別重逢一般」，相互愛慕。寶玉問黛玉生下來有沒有帶玉，想不到他一聽黛玉沒有帶玉的回答，竟臉色大變，立刻把脖子上的玉扯下來，狠狠地往地上一摔。大家嚇得跑過去撿起玉來，賈母連忙哄著他。

第四回　薄命女偏逢薄命郎　葫蘆僧判斷葫蘆案

作者一開始先補敘了薛蟠打死馮淵，搶走英蓮的情節，從而引進了四大家族的薛家，這就爲以後四大家族的敗落展示了更深刻、更廣闊的社會背景。

由於賈政的推薦，賈雨村很快就復職了，後來又被派在金陵應天府擔任知府，就遇到一件命案。原來是兩家人爭買一個婢女（英蓮），結果薛蟠打死馮淵。雨村聽了原告的陳述，一時火冒三丈，叫人去抓凶犯，卻看見一個門子一直對他使眼色。雨村心中不禁感到奇怪，便收回命令，自己則退堂回到書房，叫那個門子進來。那個人原來是雨村寄住在葫蘆廟時廟裡的小和尚。「葫蘆僧」解說「護官符」，介紹了賈、史、王、薛四大家族以及他們的權勢和豪富，又幫賈雨村出主意。賈雨村故意抓來幾名薛蟠的家僕，事先串通好，就說薛蟠逃走後得病死了，原告明知是假也無可奈何，且又得了許多銀子作爲補償，也就罷了。官司一了，雨村急忙給賈府寫信，讓他們放心，不須過慮；爲的是向賈府表功。對那個爲他出主意的門子，雨村卻不放心，怕他以後對別人說出此事的底細，就找個機會，羅織了他一個罪名，把他發配到遠方充軍去了。

另一方面，薛蟠雖然打死了人，卻一點也不在乎，帶著那個搶來的英蓮，和母親、妹妹寶釵一起到京城來避風頭。從此以後，薛姨媽就帶著兒女在賈府梨香院住下。

第五回 賈寶玉神遊太虛境 警幻仙曲演紅樓夢

這天，寧府的花園梅花盛開，賈珍的妻子尤氏來請賈母、邢夫人、王夫人過去賞花，賈母便把寶玉也帶去了。逛過花園後，衆人正在聊天，寶玉卻打起呵欠來了，賈蓉的妻子秦可卿把寶玉帶去自己的臥房。寶玉一躺到床上，就昏昏沈沈地睡著了，突然，好像秦可卿出現在眼前，就追了過去，卻來到一個有綠樹、有清澈溪流的地方，又見一位仙姑，寶玉便跟著仙姑來到一個地方。看見一座高大的石頭牌坊，上面寫著「太虛幻境」四個字，兩旁還有一副對聯。走過牌坊後，又進入一座宮門，也有一副對聯。寶玉看到了金陵十二釵正冊、副冊、又副冊。通過太虛幻境中的正冊、副冊和「紅樓夢十二支曲」，預示了十五個女子的不幸命運和全書的悲劇結局。

寶玉夢中叫秦可卿的小名，然後醒過來。聽見寶玉大叫，襲人連忙上去摟住他。倒是秦可卿聽見寶玉的喊叫聲，心裡覺得十分奇怪，心想寶玉怎麼會知道她的小名呢？又不好問什麼，也就不提了。

第六回　賈寶玉初試雲雨情　劉老老一進榮國府

寶玉醒了過來，把夢中的事情仔仔細細地告訴襲人，然後襲人和寶玉初試雲雨情，二人的關係自然更深一層。

本回寫劉姥姥一進榮國府，著重反映的是賈府的權勢和豪華，特別是劉姥姥在榮國府門前的那種感受和她初見鳳姐的場面，令人感到這個封建家族眞是氣勢逼人。京都附近有一戶姓王的農民，名叫狗兒，祖上曾做過小小的京官，因貪圖王夫人父親的權勢，便認他爲叔父。狗兒的妻子姓劉，生了兒子板兒、女兒青兒。狗兒夫妻倆整天操勞，兩個孩子沒人照顧，就把岳母劉姥姥接來一起生活。雖然一家人務農爲業，但日子過得很拮据。有一天，劉姥姥看不過，就勸狗兒去賈府，那狗兒卻動了心思，所以決定讓劉姥姥去賈府。第二天，劉姥姥帶著孫子板兒進了城，周瑞家的帶劉姥姥來見王熙鳳。王熙鳳就明白了劉姥姥的來意，然而也暴露了「大有大的難處」。劉姥姥先聽她告難處，以爲是不肯給賞，很失望；又聽說給二十兩銀子，喜得喜眉笑眼。劉姥姥拿著銀子，向鳳姐千恩萬謝，領著板兒回去。

第七回 送宮花賈璉戲熙鳳 宴寧府寶玉會秦鐘

周瑞家的送劉姥姥去後，要向王夫人報告，去梨香院找王夫人，進了屋裡，遇見寶釵，聽說寶釵這幾天老毛病復發。然後又聽到名叫「冷香丸」的藥方，原來這藥方所用的藥料都不算貴重，但配起方來卻很不容易。周瑞家的聽了嘆氣，正說著，寶釵的母親薛姨媽叫周瑞家的，讓她把十二枝宮花分送給迎春、黛玉等姐妹。

鳳姐帶寶玉赴寧府閑逛，恰巧賈蓉的妻子秦可卿的弟弟秦鐘也在寧國府中。秦鐘出身「清寒之家」，然而貴公子賈寶玉對他十分敬愛，一見面便「親密起來」，並邀他同塾共讀。天色已晚，鳳姐說著話，起身告辭，和寶玉走出門外，見寧府的老年僕人焦大乘著酒興正高聲叫罵。先罵大總管賴二，說他辦事不公道，欺軟怕硬。正罵在興頭上，賈蓉送鳳姐的車出去，忍不住罵了他兩句，讓人把他捆起來。那焦大哪裡把賈蓉放在眼裡，他知道賈蓉與王熙鳳的曖昧關係，因此他大叫起來，連賈蓉的父親賈珍的醜事也說出來。焦大剛才的幾句話，鳳姐和賈蓉都聽到了，卻都裝作沒聽見。只有寶玉在車上見到這樣的醉罵，感到很有趣味。

第八回　賈寶玉奇緣識金鎖　薛寶釵巧合認通靈

寶玉聽說寶釵病了，就趕忙來到梨香院探望。先去薛姨媽房中請了安，然後立刻來到裡面的房間，只見寶釵披著件披肩，坐在炕上做針線。寶釵一眼掃見寶玉胸前掛著的那塊玉，很想看看那塊玉，因此寶玉就把玉從脖子上拿下來遞給寶釵。寶釵將玉放在手掌上細看，只見它大小如同雀卵，燦若明霞，瑩潤如酥。正面橫寫著四個字：「通靈寶玉」，豎寫著兩行字：「莫失莫忘，仙壽恆昌」。背面豎寫著三行字：「一除邪祟，貳療冤疾，參知禍福」。寶釵看完，小聲念著「莫失莫忘，仙壽恆昌」，寶釵的丫鬟鶯兒聽了就說：「像和姑娘項圈上的兩句話是一對兒。」寶玉一聽就纏著寶釵要看金鎖，寶釵禁不起他的一再央求，只好答應了，她把一直放在衣服裡的金鎖項鏈摘下來，交給寶玉，寶玉邊看邊念，果然每面都有四個字：「不離不棄，芳齡永繼」。這時，黛玉來了，黛玉一見寶玉也在這兒，說：「早知道他來，我就不來了。」這時薛姨媽已擺好了幾樣細巧茶食請他們吃。薛姨媽便叫人拿上等的好酒來，他們邊吃邊聊。這時，黛玉的丫鬟雪雁走來與黛玉送小手爐，黛玉生氣地教訓雪雁，寶玉知是黛玉借此奚落他，也無回護之詞，只嘻嘻的笑兩陣罷了；寶釵素知黛玉是如此慣了的，也不去睬他；只有薛姨媽不知內情安慰黛玉。酒足飯飽，寶玉與黛玉二人才告辭回去。

寶玉回房間後，寶玉爲晴雯留下一碟豆腐皮包子，被奶媽李嬷嬷吃了，後來李奶奶又喝了寶玉留下的茶，二事齊發，氣得寶玉扔杯嗔怒，立意要攆這位老奶媽。襲人連忙過來解釋勸阻，早有賈母那邊的人來問是怎麼了，她一方面說謊是自己被雪滑倒了，失手砸了鍾子，另一面又安慰寶玉，使事情不再擴大。

第九回　訓劣子李貴承申飭　嗔頑童茗煙鬧書房

賈家有一所學堂，專供本族子弟求學之用。賈政命寶玉讀書，其目的是走「學而優則仕」的道路，以鞏固其地位。但從這回「鬧書房」的描寫看，這一教育機構，已經爛透頂了。從入學目的看，有的是因「偶動了『龍陽』之興，有的爲『家裡也省好大的嚼用』」；從賈代儒來看，也不過藉此餬口。

寶玉帶著秦鍾也來入學讀書。同族子弟見寶玉與秦鐘親親熱熱，便起了疑心，散布謠言，說他倆關係曖昧。這天因賈代儒有事，提前離開了學堂，讓賈瑞暫時代管。賈瑞是個圖便宜沒行止的人，所以誰也不把他看在眼裡。賈代儒走後，學堂裡就亂哄起來，大家都沒心思讀書了。這時，秦鐘和另外一個外叫香憐的來到後院。這下金榮看到他們在一起，說秦鐘、香憐二人在後院親嘴了，因此大家便打架。寶玉的大僕人李貴聽到學堂裡傳出打架的聲音，趕忙跑進來勸阻，見寶玉正拿著衣襟爲秦鐘擦傷；剛才混亂中，秦鐘頭上挨了金榮一板，打掉一層皮，寶玉很生氣地說被人欺負，要告賈瑞等。李貴知道如果事情鬧大，自己也逃不了干係，就勸寶玉不要去告。賈瑞也怕了，只好央求寶玉和秦鐘；金榮雖然不甘心，但在賈瑞的逼迫下，只好給寶玉作了揖，又給秦鐘磕了頭。至此，學堂風波才算平息。

第十回 金寡婦貪利權受辱 張太醫論病細窮源

賈蓉的妻子秦可卿得了一種怪病，醫生們的說法都不相同，人卻越來越瘦弱了。秦鐘向姐姐說學堂裡打架的事，因此秦可卿的病更加嚴重。原本金氏來寧府向秦氏說欺負金榮的事，但是聽見秦氏有病，連提也不敢提了；況且賈珍、尤氏又招待得甚好，因轉怒為喜的，說了一會子閒話，就回家了。

第十一回 慶壽辰寧府排家宴 見熙鳳賈瑞起淫心

鳳姐隨邢、王二夫人來寧府與賈敬賀壽辰，抽空去看了患病的秦可卿。又到會芳園看戲，看到園內的美麗景致，不由得讚賞。鳳姐在園內小徑途中，遇上了躲在假山背後的賈瑞。賈瑞見鳳姐長得風流俊俏，就勾引鳳姐。鳳姐雖然不把賈瑞這個癩蛤蟆放在心上，可是一開始不但不正言拒斥，反說情話引其上鉤。

後來，秦可卿病情一天比一天嚴重，大家都擔心不已。論輩分，秦可卿得喊王熙鳳為嬸嬸，可是兩人的年紀卻差不多，所以感情特別好。鳳姐三天兩頭地過來探望。

第十二回　王熙鳳毒設相思局　賈天祥正照風月鑑

賈瑞色迷心竅，固然卑鄙無恥；可是王熙鳳卻不嚴厲拒絕，而是假意逢迎，繼之又一而再、再而三地設詭計欺騙凌辱他。但是賈瑞仍不死心，又去找鳳姐。鳳姐找來賈蓉和賈薔，告訴他倆賈瑞晚上要來的祕密，並讓賈蓉在黑暗中冒充她去房後的小過道，讓賈薔去現場作證。一切安排妥當，只等賈瑞來上鉤。到了夜晚，賈瑞果然來了，錯把賈蓉認爲鳳姐，被弄得無地自容。賈蓉、賈薔威脅他，說要去告發。賈瑞苦苦哀求，答應給他們一百兩銀子。

到此，賈瑞才明白鳳姐在玩弄他，心裡發了一陣恨；再想想鳳姐的俊俏模樣，還是不能割捨。此後便徹夜失眠，終於得了重病，臥床不起。賈代儒四處求醫診治，好藥吃了無數，總是不見效。後來有個大夫開了一副藥方，但賈代儒買不起人蔘，只得去求王夫人。王夫人讓鳳姐給他人蔘，鳳姐卻說沒了，經王夫人再三勸說，鳳姐只給了幾錢的渣末，然後回復王夫人，說已派人送去。這一天，忽然有一個跛腳道士來化齋，口稱專治邪病。道士給賈瑞一面鏡子，他警告賈瑞千萬別照正面，只瞧反面。賈瑞拿起鏡子，向反面一照，只見一個骷髏站在裡面，嚇得連忙移開，於是反過鏡子去照正面，只見鳳姐站在裡面招手叫他。賈瑞心中一喜，幾次舉起鏡子去照正面，最後死了。

這年年底，林如海也得了重病，來信要接黛玉回去。賈母只好讓黛玉回去，並要賈璉親自護送。

第十三回　秦可卿死封龍禁尉　王熙鳳協理寧國府

這一天夜裡，鳳姐迷迷糊糊地睡著後，秦可卿托夢勸鳳姐，秦可卿讓鳳姐在祖墳附近多多購買土地，置辦田莊，將來衰落了，做爲子孫務農之資，並說：「瞬息繁華，一時的欣樂，萬不可忘了那『盛筵必散』的俗話。」鳳姐一聽心裡發毛，正想再問她，卻聽見外面報喪的傳事雲板連敲四下，把她給驚醒了，就聽有人報說：東府蓉大奶奶沒了。消息迅速傳開，寧榮二府陷入悲哀的哭聲裡。秦可卿平時待人和善，聰明賢慧，上上下下都爲她的年輕早逝而痛心。

公公賈珍更是哭成了淚人一樣，發誓要盡家中的錢財去辦喪事。因此，爲兒子賈蓉花了一千兩銀子來捐官。他找到了鳳姐，請她協助料理事務。鳳姐也正想趁機顯示自己的能幹，便一口答應了。鳳姐想了一夜，覺得寧國府人口雜亂，所以很多人會推卸責任，混水摸魚，所以一定先明確地分配工作。

第十四回 林如海靈返蘇州郡 賈寶玉路謁北靜王

鳳姐掌管寧國府的消息一經傳出，府裡的僕人丫鬟議論紛紛，大家都想看看鳳姐怎麼治理寧國府。鳳姐一早就來到寧國府，讓管事的把全府男女僕人召集來，讓彩明念花名册，一個一個喚進來認識。然後，把這些僕人分成若干班，每班各負責一項差事，凡丟失或損壞器物，由該班賠償。又讓賴陞家的負責督察，凡偷懶的、吃酒的、打架拌嘴的，一經發現，立即報告。最後，又把上班的時間說定了，要集合點名，不得遲到。衆人見鳳姐辦事井井有條，說話乾淨俐落，都恭恭敬敬地站著聽訓。衆人這才知道鳳姐的厲害，從此不敢偷懶，各盡其職責。鳳姐因爲好勝心強，深怕別人挑剔她的毛病，所以費盡精神，將每件事都安排得好好的，因此贏得了全族上下一致的稱讚。

一天午後，跟隨賈璉去蘇州的昭兒回來說：林如海已經病逝了，賈璉和黛玉辦完喪事後，方才回來。昭兒回去後，鳳姐笑著對寶玉說：「你林妹妹可在偺們家長住了。」寶玉卻擔心黛玉不知會哭成什麼樣子。

到了送殯的日子，寶玉在途中謁北靜王。北靜王很喜歡寶玉，將腕上一串念珠卸下來送給寶玉。

第十五回　王鳳姐弄權鐵檻寺　秦鯨卿得趣饅頭庵

鳳姐隨著浩浩蕩蕩的人群為秦可卿送葬，把靈柩安置在鐵檻寺，諸事辦妥，便帶著寶玉、秦鐘來到饅頭庵（水月庵）休息。尼姑靜虛拜託鳳姐張家的官司。原來張大財主有個女兒，名叫金哥，有一次長安府太爺的小舅子李少爺遇見在庵裡進香的金哥，一眼看上了她，便要娶她為妻，派人到張家來提親。金哥已經與原任長安守備的公子定了親，兩人相互愛慕。張家若要退婚，又怕守備不答應，只好告訴李少爺。但是李少爺仍然不死心，仗著權勢，一定要娶金哥。張家一時沒了主意，正在為難時，那守備一氣就到張家理論，結果兩家就打起官司來了。張家不管女兒的心願，賭氣要打贏官司，把女兒嫁給李少爺。

王熙鳳為了貪得三千兩銀子，把這件事交給來旺去辦。來旺按著鳳姐的意思，急忙進城找人代寫書信一封，假冒賈璉的囑託，送信給長安節度使雲光。雲光與賈府關係親密，逼守備退婚。

秦鐘和水月庵的智能情投意合。次日，賈母、王夫人打發了人來看寶玉，命他回去。寶玉那裏肯回去，又有秦鐘戀著智能，調唆寶玉求鳳姐讓他們再住一天。秦鐘與智能百般不忍分離，背地裏有幽期密約。

第十六回　賈元春才選鳳藻宮　秦鯨卿夭逝黃泉路

金哥一聽到父母退婚的消息，便上吊自盡。而那守備的公子聽說她自殺的消息，也投河自殺了。兩戶人家落得個人才兩空，但鳳姐得了三千銀子。這件事王夫人一點也不知道，從此鳳姐越來越大膽，以後所作所爲，諸如此類，不可勝數。

這天是賈政的生日，榮、寧二府的人都聚在一起，看戲唱歌，熱鬧極了。突然聖旨到，告知元春封爲鳳藻宮尙書，加封賢德妃，使賈府成爲國戚，「眞是烈火烹油，鮮花著錦之盛」，這對賈府來說是天大的喜事，全家上下內外人等，莫不欣喜，可是獨有寶玉爲秦鐘從鐵檻寺回來之後生病，置若罔聞，毫不介意。在他看來，皇帝和貴妃的事還不如好友秦鐘的疾病重要。

這期間，賈璉也帶著黛玉回來了。大家見黛玉一方面高興，一方面又爲她喪父感到悲傷。

賈府爲了元妃省親，準備蓋省親別館。二府的老爺們商議，在府中修一座三里半方圓的大觀園，作爲元春回家省親的別墅，便命賈珍和賈璉辦這件事。沒有多久，大觀園建造完工。

此時秦鐘病情越來越嚴重，終於死了，寶玉痛哭不止。

第十七回　大觀園試才題對額　榮國府歸省慶元宵

這天，賈政帶著一幫賓客進園觀看，準備題些匾額對聯，以增園景光彩。半路上遇到寶玉，賈政心想，「這孽障雖然不喜歡讀正經書，卻聽說能題對聯，有點歪才，今日何不試他一試。」於是讓寶玉隨同前往。通過賈政、清客和寶玉巡看新造的大觀園，擬題匾對，把大觀園的規模、方位、建築佈局、山水特色等等作了全面的介紹和重點的描繪。也從各人關於題額的爭論中，看到了寶玉與賈政和清客們在生活理想、美學觀點上的矛盾衝突。

同時，作者還讓題對額變成兩類人在文才方面的考核：一方是賈政、清客，另一方則是寶玉。這裡突現了寶玉的聰慧，他具有與八股學士完全相反的眞正才情和反傳統的叛逆精神；而賈政和諸清客的思想見解則很平庸、腐朽，暴露出了封建文人的可憎面目。

賈政心裡很滿意寶玉的表現，叫寶玉回去。寶玉走到院外，有幾個伺候賈政的小僕人忙走上來，攔腰抱住寶玉，都說：「今日虧了我們，老爺才喜歡！今兒得了這樣的彩頭，該賞我們了。」然後把寶玉身上佩戴的東西都解光了。

寶玉回房間之後，襲人見寶玉身上的佩物一件都沒了，就笑著說：「帶的東西，又都是那起沒臉的東西們解去了。」黛玉聽說，忙走過來瞧瞧，果然黛玉給寶玉的荷包不見了。黛玉賭氣回到自己房中，把前天寶玉求她做的香袋兒拿過來就鉸。寶玉看了，又可惜，又生氣，忙把衣服領子解開，從裡面衣襟上把黛玉給的那個荷包解下來，遞給黛玉。黛玉見他對荷包如此珍重，戴在衣服裡面，可知是怕別人拿去，不禁自悔莽撞，不問青紅皂白就剪了香袋，此時無話可說，只有低頭沈默。寶玉把荷包扔到黛玉懷中，扭頭就要走。黛玉見到這般情景，越發生氣了，拿起荷包又要剪。寶玉見了，忙回身攔住，妹妹長妹妹短地賠不是，黛玉才消了氣。

第十八回　皇恩重元妃省父母　天倫樂寶玉呈才藻

大觀園內諸事料理妥當之後，賈政向皇上上書，皇上降旨於次年正月十五日，接貴妃回家探親。接聖旨後，賈府上上下下更忙碌了。好不容易盼到了元宵節，元妃終於來了。元妃和賈母、王夫人相見，卻不知從何說起，而是「嗚咽對泣」、「哽咽難言」。

元妃命人準備筆墨，爲園子賜名「大觀園」，又挑了幾個喜歡的地方親自賜題。然後又題了一首絕句，寫完，請各位姐妹每個人作詩，大家聽了，立刻分頭去寫，不一會兒都寫好了；只有寶玉寫不出來，黛玉和寶釵看了，就悄悄地幫忙寶玉。通過這些詩，可以看到大觀園建築規模的雄偉，風景的秀麗，陳設的豪華。由於各個作者的身分、處境、思想、性格的不同，對省親所持的態度不同，因此詩寫得也各各不同。

作完了詩，看完了戲，到了元妃該回宮的時候了。賈母等人哭得哽咽難言，目送著元妃的轎子走遠了，大家才勸慰她們，扶回房去。

第十九回　情切切良宵花解語　意綿綿靜日玉生香

襲人去老家探親，而寶玉去襲人家找襲人。原來襲人家人要贖她回來，但襲人當下就說至死也不回來，還哭鬧了一回。她母親和哥哥見她如此堅決，又看寶玉來家裡，待襲人很好，故就打消了念頭。但是襲人從老家回來，製造「贖身之論」，欺騙寶玉。因爲寶玉個性既然乖僻，言行必不能合於規矩，襲人除了照料他的生活外，也以下箴規爲己任，尤其與寶玉有雲雨情以後，她將未來希望完全寄托在他身上，更是費盡心思地苦勸。因此，襲人知道寶玉多情的個性，他可能捨不得自己返家，於是謊稱贖身，讓寶玉著急傷心之際再來談條件。第一，不要發什麼奇怪的咒；第二，無論喜不喜歡讀書，在賈政面前或別人跟前，都要作出喜歡讀書的樣子來，少讓賈政生氣；第三，再不要毀僧謗道，調脂弄粉。再不許吃別人嘴上擦的胭脂了。

寶玉爲襲人留了一蓋碗的酥酪，又被李奶奶吃去，寶玉剛要發作，襲人忙笑說：她不想吃酥酪，只想風乾栗子吃。結果寶玉信以爲眞，方把酥酪丟開，向燈前揀栗子。

第二天一早，襲人醒來，覺得身體發重，頭疼眼脹，四肢火熱。起先還能掙扎起來，漸漸地就支撐不住了，只好躺下。寶玉連忙告訴賈母，請醫生診治，他讓人拿了藥方取藥，又看著把藥煎好。

寶玉在黛玉房中說耗子精的故事，寶釵也來了，諷刺寶玉元宵節不知典故的事，三人在房中互相取笑。

第二十回　王熙鳳正言彈妒意　林黛玉俏語謔嬌音

寶玉、黛玉、寶釵三個人在房中說說笑笑的，突然聽見寶玉的房裡傳來吵鬧聲，是襲人和寶玉奶媽李嬤嬤吵架。李嬤嬤罵襲人懶惰，只躺在床上不理。李嬤嬤無論襲人和寶玉怎麼解釋，不相信襲人眞的生病，一直胡鬧。這時鳳姐正好路過，看見李嬤嬤愛指責別人的老毛病又犯了，進來教訓，說完就硬把她拉出去了。

這天賈環到薛姨媽那兒閒逛，看到寶釵、香菱、鶯兒在圍棋作耍，也說要玩，大家就讓他一起玩。賈環贏了一次以後就一直輸，心裡不禁有些著急，就想行騙，鶯兒不高興地說他，賈環哭起來了。正好寶玉過來，問明了原因，就教訓賈環，叫他回去。賈環回來，向趙姨娘告狀。趙姨娘雖然罵賈環，其實心裡不爽。

寶玉在寶釵屋裡玩，忽然聽見史湘雲來了，寶玉抬身就走，寶釵也一同跟了來。黛玉吃醋，賭氣回房去了，寶玉忙跟著來到房中，倆人正說著，寶釵走進來，說史湘雲有事叫寶玉過去，推著寶玉走了。剩下黛玉獨自一人，越發氣悶，對著窗前流淚。不久，寶玉又回來了，他正在想如何安慰她，還沒開口，黛玉卻先說自己對寶玉的感情。寶玉聽了，也說出對黛玉的感情。

第二十一回　賢襲人嬌嗔箴寶玉　俏平兒軟語救賈璉

這天晚上，寶玉送黛玉、湘雲回房，襲人來催了幾次才回去。第二天一醒來，一大早尚未梳洗就前往瀟湘館與湘雲、黛玉玩鬧，又吃起胭脂來。襲人過來看見寶玉忘了誓言，又在那兒梳洗過了，心裡實在不高興，就悶悶地回到房裡，正看見寶釵迎面而來。襲人便向寶釵抱怨：「姊妹們和氣，也有個分寸禮節，也沒個黑夜白日鬧的！憑人怎麼勸，都是耳旁風。」實際上襲人的生氣原來是嫉妒寶玉和其他姐妹親暱。不久寶玉回來，寶釵就出去了。寶玉覺得怪怪的，又看見襲人火氣不小，過去說了半天好話，襲人就是不理他。於是寶玉就問麝月，但麝月的語氣和襲人一樣，他心裡覺得沒趣，就進屋子裡去。寶玉很煩惱，讀了《南華經》之後，有所感觸，趁著酒興，提筆續了一段文字。第二天襲人還是不理寶玉，寶玉折斷玉簪發誓，襲人說「聽不聽什麼要緊」。

王熙鳳的女兒得了痘疹，故賈璉搬出外書房。賈璉這期間跟僕人官兒的老婆多姑娘兒亂來，後來被平兒發現。平兒了解鳳姐的個性，擔心家裡不安，因此幫賈璉掩飾這件事情。

第二十二回 聽曲文寶玉悟禪機 製燈謎賈政悲讖語

寶釵來賈府過第一次生日，因賈母喜歡寶釵，故叫了一班子戲爲寶釵慶賀。看戲時，賈母最欣賞戲裡演小旦和小丑的，戲演完了，就叫人把她們帶來。這時鳳姐看著那個小旦說長得像誰，寶釵、寶玉都笑著不說話，只有湘雲嘴巴最快，說出像黛玉。寶玉怕黛玉見怪，瞅了湘雲一眼，但是寶玉那種舉動，使得湘雲生氣，寶玉忙著向湘雲解釋，湘雲還是生氣，甩頭就走到賈母的房間休息。寶玉也沒辦法，就到黛玉的房間找她，就被黛玉推出來了。原來黛玉聽見寶玉和湘雲的談話了，這下子寶玉怎麼解釋也沒有用。寶玉心想：原來怕她們心裡不高興，才從中調停，誰知弄得兩邊都得罪。寶玉回房躺在床上，哭了一會兒，就下床模仿佛經中勸世的歌詞，寫了一首「偈語」，心裡覺得大徹大悟了，就上床睡覺。

其實黛玉明白寶玉的用心，只是對湘雲有口難言，才對寶玉發脾氣，現在看寶玉一句話不說就走了，就假裝要找襲人，來看寶玉怎麼樣了。而襲人一看到黛玉就遞給她寶玉寫的偈語，黛玉一看覺得好笑，就把紙條帶回去給湘雲看。第二天兩人又拿去給寶釵看。然後三個人一起來找寶玉，談起寶玉的偈語，四個人又和好如初了。

元妃從宮中派人送來燈謎，讓弟弟妹妹來猜。衆人去看元春的燈謎，是一首七言絕句，沒什麼新奇之處，卻稱讚一番，各自把謎底寫在紙上，又寫了一個燈謎，掛在燈上。到了晚上，小太監來傳報結果，只有迎春和賈環猜得不對。太監把元春的贈品送給猜對的人，只沒有迎春和賈環的。迎春認爲這是玩笑事，並不介意，但賈環卻覺得沒趣。

賈母見元春這麼有興致，自己越發高興，就讓人立即作成一個燈，讓小姐妹製作燈謎。賈政退了朝，見賈母高興，也來湊熱鬧。賈政看了幾個謎底，都是不祥之物，心中不禁悲涼起來。

第二十三回　西廂記妙詞通戲語　牡丹亭艷曲警芳心

元春回宮以後，忽然想起大觀園的景致，她知道自己遊過大觀園後，賈政必定封鎖，不讓別人進去騷擾。所以特地囑咐讓寶玉和眾姐妹們搬到園中居住。寶玉入園以後，心滿意足，每日與姐妹們吟詩作賦，彈琴下棋。沒過多久，就不自在起來，這也不好，那也不好，心中悶悶的。小廝茗煙想方設法讓他開心，就從外邊書坊買了一些古今小說給他看。寶玉如獲至寶，把這些書認眞收藏起來，每日閱讀。

一天早飯後，寶玉拿著一套《西廂記》，到沁芳橋旁的桃花樹下看。後面有人，就是黛玉，肩上扛著花鋤，鋤柄上掛著花囊，手上拿著花帚。於是黛玉也來看《西廂記》，果然越看越入迷，一下子整本都看完了，還默默地記誦著裡面的好句子。接著他們談起書裡面的內容。

他們二人又打掃落花，正在埋花時，襲人叫寶玉，說賈赦生病，讓他去請安。寶玉走後，黛玉心裡悶悶的，散步來到梨香院牆角，忽聽牆裡笛聲悠揚，歌聲婉轉，是練習唱戲的。那唱詞使她心動神搖，如醉如痴。

第二十四回　醉金剛輕財尚義俠　痴女兒遺帕惹相思

寶玉探望賈赦之病，賈環也去請安，卻看到邢夫人對他們倆的待遇不同，心裡很不滿。

接下去通過賈芸到榮府求差事，揭露了賈府內部的矛盾。賈璉和王熙鳳總攬榮府大權，他們不僅與不掌權的人之間有矛盾，就是夫婦之間也勾心鬥角，爭權奪利。賈芸背著王熙鳳謀差事未成，後來直接送禮給王熙鳳，終於得到了管理種樹栽花的美差。

賈芸想得到寶玉的幫助，來怡紅院找寶玉。剛好寶玉不在，卻遇到小紅。小紅雖然是個不諳事的丫頭，因她原有幾分容貌，內心便想向上攀高，每每的要在寶玉面前現弄現弄。只是寶玉身邊一干人都是伶牙俐齒的，沒辦法插得下手去，小紅心中早灰了一半。故遇到賈芸後，有點心動。

第二十五回　魘魔法姊弟逢五鬼　通靈玉蒙蔽遇雙真

王夫人看見賈環放學後沒事做，就叫他到自己的房間裡來抄寫佛經，丫鬟們一向很討厭賈環，誰也不理他，賈環又看到丫鬟們對寶玉好，心裡很不是滋味。因此故意裝作失了手，把蠟燭向寶玉臉上推過去，只聽見寶玉「哎喲」了一聲，滿屋裏衆人都嚇了一跳。這時鳳姐也在屋子裡，大家趕緊到裡面來看，只見寶玉滿臉滿頭都是油。王夫人又急又氣，一面命人來替寶玉擦洗，一面又罵賈環。鳳姐的一句話提醒了王夫人，王夫人派人把趙姨娘找來罵了一頓，罵得趙姨娘一肚子的火，卻又不敢回嘴。寶玉被送回屋子後，黛玉聽說了這件事，立刻過來看，寶玉看見黛玉來了，就遮著臉不讓黛玉看見。

從此以後，趙姨娘與王夫人、鳳姐嫡庶之間的矛盾更形嚴重，於是趙姨娘受了那專以害人爲業的馬道婆的慫恿、設計，使鳳姐、寶玉二人被魘垂危。賈政心中煩亂，百般祈禱，求醫問神，總無效驗。叔嫂二人不省人事，躺在床上，胡言亂語，渾身發燒，病情一天重於一天。賈政沒了主意，只好認作天命。全家人忙著準備他們二人的後事。忽然有個癩頭和尚與一個跛足道人聲稱能治各種邪病，然後他們讓人取出寶玉脖子上的玉石，拿來手中摩弄了一會兒，說了一些瘋話，然後讓人把玉石懸掛在門楣上，囑咐說，除親生母親和自己妻子以外，不准其他女人進入屋中，三十三天以後，邪病可治。賈政正要安排送謝禮，回頭一看，早已不見了二人的蹤影。晚上鳳姐和寶玉清醒過來，此後，二人的身體一天好似一天，一家人才把心放下來。

第二十六回 蜂腰橋設言傳心事 瀟湘館春困發幽情

寶玉養過了三十三天之后，不但身體強壯，連臉上傷痕也好了。他來到黛玉屋裡說話，他們藉《西廂記》中的話，互相表白和試探，沒一會兒卻被賈政叫去。其實薛蟠想跟寶玉一起玩，所以故意叫茗煙去跟寶玉說賈政找他。寶玉來到薛蟠的書房，大伙吃喝了一頓，天黑了才回去。

黛玉見寶玉被賈政叫去，不知什麼事半天都沒回來，不免心中憂慮。到了晚上，才聽說寶玉回來，便去怡紅院來找他，只見院門關著，就用手敲門。不料晴雯和碧痕兩個丫鬟正鬥嘴，沒好氣，聽見有人敲門，也不問是誰，說：寶玉吩咐一概不許進來。黛玉聽了，氣得怔怔的，本待高聲質問，繼而一想，雖說舅母家如同自己家一樣，可到底還是寄人籬下。想著想著，淚珠就滾了下來。正想回去，只聽裡邊傳出一陣笑語聲，細細一聽，是寶玉和寶釵二人。黛玉又氣又悲，站在牆角邊花蔭之下，悲悲戚戚嗚咽起來。

第二十七回　滴翠亭楊妃戲彩蝶　埋香塚飛燕泣殘紅

黛玉正自啼哭，忽然又聽見「吱嘍」一聲，院門開了，黛玉連忙躲在一旁，看著寶玉送寶釵出來，又關了門進去，自己才含淚回到瀟湘館。

第二天是農曆芒種節，古代風俗，這一天要擺上各種禮物，祭奠花神。大觀園裡一早就熱鬧起來了，女孩子們用花瓣柳枝編成轎馬，用綾錦紗羅疊成干旄旌幢，懸掛在樹上、花上，滿園裏繡帶亂飄，花枝招展，但獨不見黛玉，故寶釵往瀟湘館走去，忽然看見寶玉也向瀟湘館走去，心想：他們兩個從小一起長大，感情特別好，我在這時候出現，恐怕不太方便。於是回頭要去找迎春她們，卻看見前面一雙玉色蝴蝶，她追著蝴蝶，不知不覺地到了滴翠亭上，無意中聽到小紅和墜兒談賈芸和手帕的事情。寶釵故意藉找黛玉來問她們，她們以爲黛玉聽見了她們的對話。

小紅被鳳姐招換，離開了滴翠亭，給鳳姐跑了一趟腿，被晴雯奚落了一頓。鳳姐看小紅聰明，就要認小紅做乾女兒，還叫小紅來服侍她。

寶玉走進黛玉的房門，忙向黛玉打招呼，黛玉卻不理睬，自己出了房門。寶玉也不知道自己又哪裡錯了，只得隨後追了出來。路上，被探春截住，說了幾句話，寶玉發現黛玉不見了，低頭看見滿地的落花，就想把落花送到那日同黛玉葬桃花的花塚去，於是獨自兜起落花往後山走來，想不到聽見黛玉念著葬花詞。

第二十八回　蔣玉菡情贈茜香羅　薛寶釵羞籠紅麝串

寶玉聽到黛玉的詞，聽得心都碎了，倒在山坡上哭了起來。寶玉走到黛玉身前，苦苦訴說自己的一片赤誠之心，消解了昨晚黛玉的誤會，黛玉才轉憂為喜。

這天有位賈家世交的馮紫英，來請寶玉喝酒，薛蟠也去了，還有一位扮演旦角的蔣玉菡。雖然蔣玉菡是個戲子，寶玉卻與他很投緣，不但把扇墜子送給他，兩人還交換了綁在腰上的汗巾，表示彼此的情誼。等回到家裡襲人問起時，寶玉才想到那條汗巾是襲人借他的，只好笑一笑對襲人說明。

第二天，寶玉去向賈母請安時，碰巧遇見黛玉。原來前兩天，大家在賈母屋裡聊天時，薛姨媽提到寶釵的金鎖，說是一個和尚給的，要等寶釵遇到一個有玉的，才可以結婚。從此大觀園就流傳著「金玉良緣」的說法，使得寶釵、寶玉、黛玉心裡都不舒服。昨晚元妃賞賜端午節的禮物，唯有寶玉同寶釵一樣，黛玉卻低了一等，使得黛玉心裡更不舒服。

第二十九回　享福人福深還禱福　多情女情重愈斟情

鳳姐向賈母稟告前一日在清虛觀打醮的事情，遂約著寶釵、寶玉、黛玉等看戲去。來到清虛觀，主持張道士，早就帶領了道士們在門口迎接。這個張道士就是代替榮國府出家的，所以和賈府的人都很熟。張道士送上一些玉器、金飾做爲禮物，寶玉見其中有一物跟湘雲的麒麟一樣，遂把麒麟揣在懷裡。

由張道士說要幫寶玉提親，引起寶玉和黛玉的口角。寶玉賭氣摘下脖子上的玉來，狠狠地往地上砸，偏偏那玉摔不破，寶玉又找東西要砸，丫鬟們合力才把玉搶下來。黛玉看這般情況，越是哭得傷心，把剛才吃的藥都吐出來了。黛玉也要剪送寶玉的穗子，等襲人搶過去，已經剪壞。裡面鬧成一團，外面的老婆子們早就嚇壞了，連忙去稟告賈母和王夫人。賈母和王夫人趕來，看寶玉也不說話，黛玉也不吭聲，就把氣轉移到襲人、紫鵑身上。最後，賈母把寶玉帶了出去，一場風波算是平息了。

第三十回 寶釵借扇機帶雙敲 齡官划薔痴及局外

寶玉、黛玉兩個人早就後悔了，寶玉到瀟湘館去找黛玉，黛玉又哭了。寶玉看黛玉還在哭，自己忍不住也掉下眼淚，偏偏忘了帶手帕，就用袖子擦，黛玉看見了，就從枕頭下抽出一條乾淨的手帕，丟在他的懷裡，寶玉接住手帕，又靠近了一點，拉著黛玉的手，黛玉想摔開寶玉的手，但話還沒說完，被鳳姐看到。鳳姐拉著他們，一起到賈母房間中。

在賈母房中，寶玉奚落了寶釵，黛玉心中很高興，寶釵也用「負荊請罪」的故事來暗示對寶玉和黛玉的不滿。

這天下午，寶玉到王夫人房裡，王夫人正在睡午覺，丫頭金釧兒一邊幫王夫人捶腿，一邊也閉著眼睛打瞌睡。寶玉調戲金釧兒，王夫人突然翻身起來，照金釧兒臉上就打了個嘴巴，然後指著罵：「下作小娼婦，好好的爺們，都叫你教壞了。」雖然金釧兒苦苦哀求，但王夫人認爲金釧兒在勾引寶玉，所以硬把她攆出去。寶玉見王夫人起來，早一溜煙去了。寶玉出來，到了薔薇架，聽見有一個丫頭哭泣聲，因她長得像黛玉，寶玉癡看她，又偏遇到大雨，但看她連自己身上濕了也不知道。他匆匆地趕回怡紅院，一看門關著，丫頭們在裡面玩得正高興，寶玉直敲了半天，丫頭們才聽見。襲人來到門口，從門縫往外一瞧，只見寶玉淋得像落湯雞一樣，笑著開門。寶玉已經積了一肚子氣，幷未看清是誰，還只當是那些小丫頭子們，氣得狠狠地踢著門，襲人「噯喲」叫了一聲，寶玉這才看清楚是襲人。襲人無緣無故挨了寶玉的「窩心腳」，以致吐了血，卻連哼都不敢哼一聲。

第三十一回　撕扇子作千金一笑　因麒麟伏白首雙星

襲人無緣無故挨了寶玉的「窩心腳」，以致吐了血，連哼都不敢哼一聲，仍裝著千分的鎮靜，萬分的柔順，忍著痛替寶玉換衣服，和顏悅色地說：「沒踢著」，並力勸寶玉不可聲張，以免驚動別人。

第二天是端午節，王夫人準備了酒席，邀請薛姨媽和姐妹們一起慶祝端午節，本來該是大伙兒高高興興的，卻因為金釧兒的事情，王夫人和寶玉都顯得悶悶不樂，大家也不敢盡情玩笑了。所以大家坐了一會就各自回房了。

寶玉是一個喜歡熱鬧的人，看到這種情形，心裡就更煩了，偏偏晴雯在幫他換衣服時，一失手把扇子掉在地上，將骨子折斷了，寶玉嘆了口氣又罵晴雯。晴雯雖然只是個丫頭，個性卻十分倔強、好勝，更不肯低聲下氣受委屈，一聽寶玉的話，對寶玉用不退讓的態度來說話。她和寶玉爭執起來，襲人過來勸解時，晴雯聽襲人說「我們」兩字，不覺又添了醋意，冷笑說：「我倒不知道你們是誰？你們鬼鬼祟祟幹的那些事也瞞不過我去。」最後寶玉為博得晴雯一笑，連千金也不惜，撕了扇子。

次日午飯後，王夫人和寶釵、黛玉等眾姐妹們都在賈母屋裡聊天，一聽到湘雲來，寶釵、黛玉等立刻出來迎接，大家幾個月不見，顯得格外親密。寶玉要把張道士給的一個金麒麟送給湘雲，但不見了，後來湘雲去找襲人的路上，撿到了這個金麒麟。

第三十二回　訴肺腑心迷活寶玉　含恥辱情烈死金釧

湘雲來到怡紅院，與寶玉、襲人正在說笑，有人報告說：「興隆街的大爺來了，老爺叫二爺出去會見。」寶玉聽了，就知是賈雨村來了，心中好不自在，他最不願意跟這班官僚們來往，就不免抱怨，湘雲卻以「仕途經濟」的話來勸寶玉。寶玉聽了不高興，就對史湘雲讚美黛玉不說「仕途經濟」的混帳話。

黛玉知道湘雲在寶玉那裡，寶玉一定要說麒麟的原故，因心下忖度著，近日寶玉看了不少才子佳人小說，皆因小物而遂終身之願；今忽見寶玉有麒麟，便恐借此生隙，同湘雲也做出那些風流佳事來，因而悄悄走來，見機行事，以察二人之意。黛玉正聽見湘雲和寶玉的對話，她聽了又喜又驚，又悲又嘆。喜的是，果然他是個知己；驚的是，他在人前一片私心稱揚於我，其親熱厚密，竟不避嫌疑；嘆的是，既然是知己，又何必有「金玉」之論呢？又何必來一寶釵？悲的是，父母早亡，無人爲自己的婚事作主。想到這裡，不覺又下淚，悄悄地轉身回去了。

寶玉走出房門，硬著頭皮見父親和賈雨村，忽見黛玉在前面，看黛玉流眼淚，當面勸黛玉在愛情上儘管「放心」，寬慰她保重身體。黛玉聽了竟比自己肺腑中掏出來的還覺懇切。兩個人就呆呆地看著對方，呆了半天。此時，襲人見寶玉黛玉親密，立刻擔心起他們會做出逾越男女大防之事。

襲人回房間的路上，遇見寶釵，她們講了有關湘雲的處境。兩人正說著，忽然有一個老婆子匆匆走來說金釧兒自溺的消息。襲人聽完，難過得哭了起來，寶釵連忙去王夫人那兒。金釧兒被王夫人攆出去後，抱著委屈回到家中，哭得昏天黑地，家人也沒理睬她，絕望之下，跳井自殺了。等到打水的人把她打撈上來，早已斷了氣。王夫人聽說金釧兒自殺，心裡覺得過意不去，獨自在屋裡掉眼淚。寶釵走進來安慰她。奇怪的是，對於金釧兒的屈死，寶釵一滴眼淚也沒掉。

第三十三回　手足耽耽小動唇舌　不肖種種大承笞撻

寶玉會見了賈雨村，回來後聽說金釧兒跳井自盡，又被王夫人叫來教訓了半天。他心裡很難過，在園子裡轉來轉去，茫然不知所往。正走著，和賈政撞了個滿懷。寶玉平常是伶牙俐齒的，現在因爲金釧兒的事，覺得很沮喪，對賈政的話一句也沒聽見，一句話也說不上來，只是傻愣愣地站著。賈政一看更生氣，正要罵，僕人來稟告說：忠順王府長史官來了。忠順王府長史官來賈府的目的是，要向寶玉找回蔣玉菡。寶玉嚇得只好老實說，賈政氣得目瞪口歪。賈政送走那位長官，回來時遇到賈環，賈環向賈政把金釧兒的事情都說了。賈政更憤怒，故寶玉遭賈政毒打。後來賈母、王夫人阻攔打寶玉，才告結了。

第三十四回　情中情因情感妹妹　錯裏錯以錯勸哥哥

本回和三十五回都是寫寶玉挨打後賈府裡各類人的不同態度和反應。寶玉被賈政毒打，黛玉深感委屈和同情，「兩個眼睛腫得像桃兒一般」，可見最悲傷，對寶玉最同情。寶釵勸說：「早聽人一句話，也不至有今日！」仍堅持要把寶玉拉到仕途經濟的道路上來。襲人則說得更露骨：「論理寶二爺也得老爺教訓教訓才好呢！」。賈母、王夫人、王熙鳳不過是送點好吃的東西，企圖在生活上軟化寶玉，使他就範。

襲人則乘機向王夫人進言，王夫人口口聲聲喊著「我的兒」，襲人更主張寶玉應遷出大觀園，避免再在女孩隊裡胡鬧，還特別提出「林姑娘寶姑娘」來說明男女大防。

晴雯在寶玉挨打之後，成了二玉傳情的橋樑。寶玉因心下惦著黛玉，要打發人去，只是怕襲人攔阻，便設法先使襲人往寶釵那裏去借書。等襲人去後，再命晴雯前往瀟湘館探視，二玉的感情就因爲傳手帕而沸騰至極。

第三十五回　白玉釧親嘗蓮葉羹　黃金鶯巧結梅花絡

寶玉見鶯兒來了，十分歡喜；見了玉釧兒，便想起他姐姐金釧兒來了，又是傷心，又是慚愧，便把鶯兒丟下，且和玉釧兒說話。襲人見他不理鶯兒，恐鶯兒沒好意思，又見鶯兒不肯坐，便拉了鶯兒出來，到那邊屋裏吃茶說話兒去了。

寶玉見玉釧兒苦喪，便知她是爲金釧兒的原故，待要虛心下氣哄轉他，又見人多，不好下氣的，因便尋方法，將人都支出去，然後又陪笑問長問短。那玉釧兒先雖不欲理他，見寶玉一些性氣也沒有，憑他怎麼喪謗，還是溫存和氣，自己倒不好意思了，臉上方有了三分喜色。

這天，傅家派人來看寶玉。那傅試原是暴發的，因妹妹傅秋芳有幾分姿色，聰明過人，那傅試安心仗著妹妹，要與豪門貴族結親，不肯輕意許人，所以耽誤到如今。目下傅秋芳已二十三歲，尚未許人。那些豪門貴族，又嫌他本是窮酸，根基淺薄，不肯求配。那傅試與賈家親密，故很想把妹妹嫁給寶玉。傅家派人來看寶玉的時候，玉釧兒將碗撞著，將湯潑在寶玉手上。寶玉自己燙了手，倒不覺得，卻只管問玉釧兒。傅家的老婆子們看了寶玉這樣，認爲寶玉有些呆氣。

第三十六回　繡鴛鴦夢兆絳芸軒　識分定情悟梨香院

自金釧兒死後，幾家僕人想圖謀金釧兒的位置，常來向鳳姐孝敬東西，又不時的來請安奉承。

有一天，王夫人和鳳姐安排丫頭月錢，鳳姐提到金釧兒的位置，王夫人說不用補人，就把金釧兒的月錢給她妹妹玉釧兒。因襲人獲王夫人的信賴，故王夫人又要鳳姐從自己月例中每月拿錢給襲人，又吩咐「以後凡事有趙姨娘周姨娘的，也有襲人的。」

寶釵到怡紅院來，想與寶玉說閑話，以解午倦。至寶玉的房內，寶玉在床上睡覺，襲人坐在身傍，手裏做針線。寶釵一面說就瞧襲人手裏的針線，原來是個白綾紅裏的兜肚，上面扎著鴛鴦戲蓮的花樣，紅蓮綠葉，五色鴛鴦。襲人脖子很酸，出去走走。寶釵只顧看著活計，便不留心，一蹲身，剛剛坐在襲人方纔所坐的那個所在，因又見那活計實在可愛，不由的拿起針來，就替襲人做起來。

黛玉因遇見湘雲，二人來與襲人道喜，她們看見寶玉穿著銀紅紗衫子，隨便睡在床上，寶釵坐在身傍做針線，傍邊放著蠅刷子。湘雲見這般光景，想起寶釵素日待他厚道，又知道黛玉口裏不讓人，怕她取笑，便忙拉過她走了。

寶玉突然在夢中喊罵：「和尚道士的話如何信得？什麼『金玉姻緣』？我偏說『木石姻緣』！」他堅持反對封建的包辦的宿命論的婚姻，這對於坐在身旁做著「鴛鴦夢」的寶釵，無異於當頭一棒。

一日，寶玉因各處遊得膩煩了，便想起《牡丹亭》曲子來，自己看了兩遍，猶不愜懷，因聽說梨香院的十二個女孩兒中，有個小旦齡官唱得最好，因而去找齡官唱，沒想到被拒絕。寶玉從來沒有這樣被人嫌棄，便訕訕地紅了臉。他又看到齡官和賈薔的關係，由此深悟到人生情緣各有分定。

第三十七回 秋爽齋偶結海棠社 蘅蕪院夜擬菊花題

賈政奉旨到各省視察科舉事務，寶玉的生活更加沒有拘束了。這天正在無聊的時候，探春的丫頭翠墨來了，送來了探春的邀請函，要他去商量起詩社的事，寶玉立刻興致勃勃地趕來探春住的秋爽齋。在探春的提議下，李紈、寶玉、寶釵、黛玉、迎春、惜春等結成了詩社，各各都起了字號。然後，由李紈來當詩社的社長，又依李紈的提議，推舉迎春和惜春兩個副社長，迎春負責出題限韻，惜春負責謄錄監場。又決定每月兩次作爲集會日，在李紈的住處稻香村聚集。探春說：提議成立詩社的人是自己，第一次做詩讓她來做東道主。她立刻辦了第一次詩會。他們以白海棠爲題，各人作一首詩。由李紈來評論，寶釵的詩最佳。大家又商量了以後如何活動，接著吃了一些酒果，各自散去。

秋紋得到王夫人額外賞的衣服，正在高興，晴雯就撥了她一盆冷水：「呸！好沒見世面的小蹄子！那是把好的給了人，挑剩下的纔給你，你還充有臉呢！」

海棠詩會結束了，寶玉忽然想起，還有湘雲沒來參加。第二天，寶玉一大早來催賈母派人去接湘雲，直到中午才把湘雲給盼來了。一伙人就聚集到稻香村，迎接新社員湘雲。當即讓湘雲寫了詩，大家看了，都很驚訝她的才華。湘雲請求做個東道，衆人約定好以後，便各自回房。當晚湘雲和寶釵在燈下商議，擬定了詩會的題目。

第三十八回 林瀟湘魁奪菊花詩 薛蘅蕪諷和螃蟹詠

湘雲做東道主，開一個菊花詩會。在寶釵的建議和幫助下，先舉辦一個螃蟹宴會，邀請賈母、王夫人、鳳姐及詩會的成員參加，等宴會結束，賈母等人走了，再開菊花詩會。

他們以菊花爲題，有十二個題目。寫完之後，李紈等人從頭看起，看一首，讚一首，大家相互稱讚，其中黛玉的被評爲最佳。大家又相互評了一回，然後要了熱螃蟹，圍著大圓桌子吃了一會兒。寶玉趁持螯的詩興，首先吟了一首螃蟹詩，黛玉、寶釵也各吟一首。衆人看了寶釵的詩，不禁叫絕，都說這是一首吃螃蟹的絕唱，題目雖然小而寓意大。寶釵的詩實際上是以閒情爲寄託的政治諷刺詩。

第三十九回 村老嫗謊談承色笑 痴情子實意覓蹤跡

襲人問平兒月錢遲發的原因，得知鳳姐用家裡的錢來賺利錢的事。

劉姥姥二進榮國府，除了帶來板兒，還背了一大口袋棗子、瓜果和野蔬。鳳姐去稟告賈母，好半天沒有回來，劉姥姥和平兒閒聊著，平兒說起吃螃蟹的事，劉姥姥說：賈府的一席螃蟹宴，就花去二十兩銀子，足夠一個莊稼人生活一年。剛才賈母要找鳳姐時，聽說鳳姐正在陪一個鄉下來的劉姥姥，想到自己已經好久沒見過和自己差不多年紀的人了，就叫鳳姐帶劉姥姥去見她。周瑞媳婦領著劉姥姥前往賈母的房間。

此時賈母房中，大觀園裡的姐妹們正與賈母說笑。劉姥姥雖然是個鄉下人，見識卻很廣，她把鄉村中的所見所聞說了一通，賈母越發來了興趣，她看到大家都愛聽，更編出許多故事來，聽得大家瞪大了眼睛。但寶玉卻信以爲眞，第二天一早，叫焙茗（茗煙）按照劉姥姥所說的方向、地點去尋找。焙茗找了一天，累個半死，也沒找到。

第四十回　史太君兩宴大觀園　金鴛鴦三宣牙牌令

賈母爲了給史湘雲還席，要在大觀園擺酒宴。接著賈母帶著一群人在大觀園遊覽。李紈把一盤子各色的菊花端過來，讓賈母戴花。賈母便揀了一朶大紅的簪在鬢上，回過頭來也讓劉姥姥戴，鳳姐看到劉姥姥可供賈母作娛樂材料，於是把一盤子花，橫三豎四地插在劉姥姥的頭上，惹得賈母和衆人笑的了不得。鳳姐又讓劉姥姥鬧出許多笑話，以逗賈母高興。劉姥姥是很懂得王熙鳳她們的用心的，因此她和王熙鳳配合「哄老太太開個心兒」。

第四十一回 賈寶玉品茶櫳翠庵 劉姥姥醉臥怡紅院

鳳姐和鴛鴦故意拿一套的大杯子來讓留姥姥喝醉。忽見奶子抱了大姐兒來，大家哄她玩了一回，那大姐兒因抱著一個大柚子玩，忽見板兒抱著一個佛手，大姐便要，丫環哄她取去，大姐兒等不得，便哭了。衆人忙把柚子給了板兒，將板兒的佛手哄過來與她才罷。那板兒因玩了半日佛手，此刻又兩手抓著些果子吃，忽見這個柚子又香又圓，更覺好玩，且當球踼著玩去，也就不要佛手了。

賈母又帶了劉姥姥至櫳翠庵來喝茶。妙玉嫌髒，不要劉姥姥喝茶用過的杯子了，寶玉知道妙玉天性怪僻，故跟妙玉要了劉姥姥用過的茶杯，然後送給劉姥姥。

賈母覺得疲倦，就離了席，去稻香村歇息。王夫人和薛姨媽也辭退了，鴛鴦要帶著劉姥姥在大觀園裡逛逛，衆人也跟著混熱鬧。

劉姥姥因爲多喝了酒，她的脾胃不與黃酒相宜，再加上吃了許多油膩飲食發渴，多喝了幾碗茶，不免大瀉起來，蹲了半日才完。劉姥姥從廁所出來，被風一吹，酒勁兒上來了，只覺得眼花頭暈，辨不出路徑，四顧一望，皆是樹木山石，樓臺房舍，卻不知那一處是往那一路去的，只得順著一條石子路，慢慢的走來。衆人還在等她回來取笑，左

等不來，右等不來，都感到奇怪。大家到處都找不到，

只有襲人想到：茅廁的位置在怡紅院的後面，她八成迷了路就順著那條石子路到怡紅院去了。襲人一句話也不說，就趕緊回怡紅院去，進了房間，發現劉姥姥躺在寶玉的床上。寶玉一向有潔癖，襲人趕緊叫醒劉姥姥，把她帶到外面去，並且掩飾和收拾劉姥姥醉後臥倒在寶玉床上的事。

第四十二回 蘅蕪君蘭言解疑癖 瀟湘子雅謔補餘音

用過晚飯以後，劉姥姥就帶著板兒來見鳳姐，要告別。鳳姐叫劉姥姥幫女兒大姐起個名字，故劉姥姥就叫她「巧姐」。這次劉姥姥進賈府，贏得了賈母、王夫人以及鳳姐、平兒的歡心，得到了她夢想不到的贈物，衣服、綢緞、金元寶、兩斗御田粳米、各樣的乾果子，還有一百兩銀子，足足裝了兩口袋。第二天，劉姥姥千恩萬謝地告別了衆人，坐著車回去了。

這邊寶釵吃過早餐去向賈母請安，遇見黛玉也在那兒，回園至分手路口，遂教訓黛玉。原來昨天行酒令時黛玉只顧著不要被罰，想到什麼就說什麼，竟把《牡丹亭》、《西廂記》中的曲文唸出來。寶釵的話說得黛玉心服口服，只有答應一個「是」字。

正在此時，忽然李紈的丫頭素雲來說，李紈叫她們去稻香村。惜春為了畫大觀園的畫，因此想請假，衆姐妹們在一起討論請假的期限和怎麼畫的問題。

第四十三回　閒取樂偶攢金慶壽　不了情暫撮土為香

鳳姐的生日將到，賈母提出要學學小戶人家那種湊份子的方法，湊多少份子錢就辦多大的場面。衆人都想湊湊趣兒。有和鳳姐關係好的，情願這麼辦；有怕鳳姐的，巴不得來奉承。因此，賈府上上下下，人人都有份，具體操辦由賈珍媳婦尤氏來負責。

到九月初二，鳳姐的生日辦得十分熱鬧。這天也是死去的金釧兒的生日，恐怕只有寶玉一個人還記著。爲了慶祝鳳姐的生日，驚動了賈府上下，但唯有寶玉不去捧場和祝頌，反而悄悄地跑去祭奠金釧兒。

第四十四回　變生不測鳳姐潑醋　喜出望外平兒理粧

眾人忙著給鳳姐敬酒，喝著喝著，鳳姐覺得酒氣往上衝，心兒突突地跳，忙找個藉口離了席。平兒也跟了出來，扶著鳳姐往自己房中走走。走到半路，只見自己房中的一個丫頭在路上站著，一見她們過來，扭身就往回跑。鳳姐起了疑心，連聲喊她站住，小丫頭開始不肯說，禁不住鳳姐的猛打，只好說了實話。原來賈璉趁鳳姐不在家，把僕人鮑二的老婆叫進屋裡亂搞，又擔心鳳姐回來，就讓小丫頭去放哨。

鳳姐聽了，已氣得渾身發軟，連忙進院子，輕手輕腳地走近窗前，只聽屋裡正在說笑。鳳姐聽見他們都稱讚平兒，便懷疑平兒素日背地裏自然也有怨語了，回過頭來就把平兒先打兩下。一腳踢開了門進去，也不容分說，抓著鮑二家的撕打一頓。賈璉吃了驚，想溜出去，卻被鳳姐堵住了門，平兒也便打鮑二媳婦。賈璉見平兒也動了手，心裡冒了火，便去打平兒。鳳姐又見平兒怕賈璉，越發氣了，又趕上來打著平兒，偏叫打鮑二家的。平兒急了，便跑出來找刀子要尋死，被婆子們勸住了。鳳姐見平兒要尋死，也一頭撞在賈璉懷裏，說不想活了。賈璉氣得從牆上拔出劍來，說要殺人。眾人湧進屋裡，去阻攔他。賈璉見眾人進了屋子，越發逞強，口口聲聲說要殺死鳳姐。鳳姐見人多了，反倒裝出受委屈的樣子，丟下衆人，往賈母那裡哭訴。

平兒早被李紈拉入大觀園去了，哭得哽噎難言。賈母的丫頭琥珀過來，轉告賈母安慰平兒的話，平兒才漸漸地平靜了。寶玉便讓平兒到怡紅院來，安排了讓平兒換衣服、洗臉等等。

在賈母主持下，賈璉給鳳姐、平兒道歉，三個人回到房中。此時，聽說鮑二家的上吊死了，又鮑二家的娘家要告。賈璉和林之孝商量，給了三百兩銀子，又借官府勢力，鮑二家親戚只好忍氣吞聲。賈璉又給鮑二些銀兩，安慰他。鮑二又有體面，又有銀子，便仍然奉承賈璉。

第四十五回　金蘭契互剖金蘭語　風雨夕悶製風雨詞

賴嬤嬤來邀請鳳姐她們赴宴慶祝她的孫子做官，又順便教訓了寶玉。

黛玉每年春、秋兩季就容易咳嗽，今秋又遇賈母高興，多遊玩了兩次，未免過於勞累，近日又復咳起來，覺得比往常又重，所以總不出門，只在自己房中休養。有時悶了，又盼各姐妹來說些閒話排遣；及至寶釵等來望候他，說不得三五句話，又厭煩了。衆人都體諒她在病中，且素日形體嬌弱，禁不得一些委屈，所以她接待不週，禮數疏忽，也都不責怪她。這天，寶釵來望她，在一些問題上表現了對她的關心，使她心中感激，深覺自悔。這日晚上，黛玉喝了兩口稀粥，仍歪在床上。不料日未落時，天就變了，淅淅瀝瀝下起雨來。秋霖脈脈，陰晴不定，那天漸漸的黃昏，且陰得沉黑，兼著那雨滴竹梢，更覺淒涼。在燈下隨便拿了一本書，卻是《樂府雜稿》，有〈秋閨怨〉、〈別離怨〉等詞。黛玉不覺心有所感，不禁發于章句，遂成〈代別離〉一首，擬〈春江花月夜〉之格，乃名爲〈秋窗風雨夕〉。

第四十六回 尷尬人難免尷尬事 鴛鴦女誓絕鴛鴦偶

賈赦見鴛鴦長得俊秀，一心想娶她作妾。邢夫人是個懦弱的人，只知道服從丈夫，爲了做成此事，她先把鳳姐找來商議。鳳姐知道她稟性愚弱，只知承順賈赦以自保，勸也沒有用，乾脆來個順水推舟算了，讓他們自己折騰去。邢夫人高興地來找鴛鴦，就把賈赦要討她作妾的事以及作妾以後所得到的好處，詳詳細細，熱熱鬧鬧地說了一通。鴛鴦低頭一言不發，邢夫人以爲她害羞，就說去找她老子娘商量。

鴛鴦心中煩亂，獨自在園子裡轉悠，正巧遇上了平兒和襲人。鴛鴦對她們說眞心話，其實鴛鴦認爲嫁給老爺少爺們是悲哀、鄙薄的事情。邢夫人原想找鴛鴦的父母商量此事，一打聽，才知他們遠在南京，只好讓鴛鴦的嫂子去勸說她。鴛鴦一見她嫂子來勸，便立刻翻臉，痛罵起來。

賈赦聽說鴛鴦不願嫁給他，不禁大怒，又責令鴛鴦的哥哥必須說服鴛鴦回心轉意，不然就砍掉他的腦袋，嚇得鴛鴦哥哥屁滾尿流。回到家中，便把賈赦的話說了一遍，鴛鴦心想，只有請賈母出面干涉。

第二天，鴛鴦拉著嫂子來見賈母，可巧王夫人、薛姨媽、李紈、鳳姐都在賈母房中。

鴛鴦跪在賈母面前，一邊哭，一邊痛說被逼的經過，然後發誓絕婚，立刻從懷中掏出一把剪子，回手打開頭髮就鉸。衆人忙來拉住，早已剪下了半綹。賈母聽了鴛鴦的訴說，氣得渾身亂顫，又把王夫人責罵了一頓，王夫人忙站起來，不敢還嘴一句。

第四十七回　獃霸王調情遭苦打　冷郎君懼禍走他鄉

邢夫人還不知道剛才發生的事，來打探消息。衆人見她進來，都藉口去辦別的事，走開了。賈母責罵邢夫人太懦弱，又叫她告訴賈赦：「我這裏有錢，叫他只管一萬八千的買去就是；要這個丫頭，不能！留下他伏侍我幾年，就比他日夜伏侍盡了孝的一般。」

邢夫人把賈母的話告訴了賈赦，賈赦無計可施。只得各處派人去購買漂亮女子，終於花了八百兩銀子買了一個十七歲的女孩子，名叫嫣紅，做了小妾，才算罷休。

轉眼到了十四日，賴大的媳婦又進來請人。賈母高興，便帶了王夫人、薛姨媽及寶玉姊妹等，至賴大花園中坐了半日。柳湘蓮與薛蟠也同被邀請赴宴，那柳湘蓮原是世家子弟，讀書不成，父母早喪，索性爽俠，不拘細事，酷好耍鎗舞劍，賭博吃酒，以至眠花臥柳，吹笛彈箏，無所不爲。因他年紀又輕，生得又美，不知他身分的人，都誤認作優伶一類。薛蟠喜歡男色，見了柳湘蓮長得眉清目秀，又聽說他能唱戲文，不免錯會了意，誤認他做風月子弟，就想調情，一雙眼在柳湘蓮的身上亂轉。柳湘蓮知道薛蟠不懷好意，就向東道主賴大的兒子賴尙榮告辭。

薛蟠看見柳湘蓮走出來，如同得了珍寶一樣，忙走上來抓住柳湘蓮。湘蓮見他這副醜態，氣得火冒三丈，恨不得一拳打死他，但是繼而一想，這是朋友的家，不是動手的地方，便忍住了。湘蓮忽想出一條計策，拉著他到僻靜的地方，騙他在北門外頭見面。湘蓮乘別人不留意，悄悄走出來。不久，薛蟠果然一個人來，湘蓮痛打薛蟠一頓之後，走了。薛蟠見湘蓮走了，才放心，想掙扎起來，渾身疼痛難受，只好趴在地上亂哼哼。過了好長時間，賈蓉帶了人才找到他。大家一看薛蟠的模樣，都暗自發笑，只見薛蟠的衣衫零碎，面目腫破，沒頭沒臉，遍身內外，滾得似個泥母豬一般。賈蓉心內已猜出了八九分，薛蟠愧得無地自容，被衆人抬著回到府中。

第四十八回　濫情人情誤思遊藝　慕雅女雅集苦吟詩

賈赦仗著財勢，想搶佔石呆子的藝術珍品古扇子。但石呆子雖然微賤，卻有骨氣，偏要與金錢勢力抗爭。結果賈赦勾結京兆尹賈雨村，動用官府，強行抄沒，害得石呆子家破人亡。

薛蟠捱了打，沒臉出來見人，跟著人到外地去做生意了。寶釵就把香菱帶到大觀園作伴，香菱請求寶釵教她作詩，寶釵卻讓她去各房走走，結結人緣。

香菱來到瀟湘館，請黛玉教她作詩，黛玉就答應了，然後先告訴香菱作詩的基本知識，又借給香菱一本王維詩選。香菱拿回去，不分晝夜地讀了起來。過了幾天，香菱來找黛玉，談讀詩的心得，又向黛玉借杜甫的律詩，並請黛玉出個題目，自己作作看。黛玉出了月亮一題，用十四寒韻。香菱回到蘅蕪院，一會兒苦思瞑想，一會兒又讀杜詩，眞到了茶飯無心、坐臥不安的地步。香菱把剛作好的詩拿給寶釵看，寶釵卻叫她拿去給黛玉看。香菱乃向黛玉請教，黛玉看了，叫她重作一首。香菱聽了默默地走回來，一會兒在樹下徘徊，一會兒在山石上發呆，一會兒皺眉，一會兒微笑。李紈她們知道了，都站在遠處看她，看見香菱又往黛玉那邊去了，一群人也就跟著來到瀟湘館。黛玉見衆人來問香菱的詩，黛玉說還是不行。香菱自以為這首寫得好，聽黛玉這麼說，實在掃興，卻又不肯放手。當晚，香菱直想詩想到三更以後才躺下。第二天寶釵聽見香菱在說夢話，忙叫醒她。原來香菱苦心學詩，精血凝聚，白天作不出來，卻忽然在夢中得了一首。香菱醒了以後，急忙把夢中的八句詩抄記下來，簡單梳洗打扮了，就拿著詩稿找黛玉。

第四十九回　琉璃世界白雪紅梅　脂粉香娃割腥啖膻

大家都爭著看香菱的詩，看完都稱讚不已，香菱終於得到了衆人的好評。

這時有邢夫人的嫂子，帶了女兒岫煙進京來投奔邢夫人；李紈的寡嬸，帶著兩個女兒，長名李紋，次名李綺，也上京；薛蟠之從弟薛蝌，因當年父親在京時，已將胞妹薛寶琴許配都中梅翰林之子爲媳，正欲進京發嫁，聞得王仁進京，他也隨後帶了妹子趕來，今日會齊了來訪投各人親戚。湘雲的叔叔史鼎被調到外省作官，因爲不定幾年後才會回來，所以要把家眷帶去，賈母捨不得湘雲，就把她接來住大觀園。因此，大觀園裡就更熱鬧了：李紈爲首，其餘迎春、探春、惜春、寶釵、黛玉、湘雲、李紋、李綺、寶琴、邢岫煙，再添上鳳姐兒和寶玉，一共十三人。

這天晚上，天空忽然飄下細細的雪來。李紈便提議，這一次的詩社就趁著這一場雪，提早在第二天早上到蘆雪亭賞雪作詩，也邀鳳姐一起來玩。大家一聽，覺得有趣極了，沒有不贊成的。

當晚的雪不大，寶玉怕雪停了，一夜都沒睡好覺，第二天一早就起來，推開窗戶一看，天上像搓綿絮似地正飄著雪，地上也已經積了厚厚一層雪，可把寶玉樂壞了。寶玉出了院門，四顧一望，天地一片銀白，遠遠的是青松翠竹，自己卻似裝在玻璃盆內一般。於是走至山坡之下，順著山腳，剛轉過去，忽聞一股撲鼻的寒香，回頭一看，卻是妙玉那邊攏翠庵中有十數枝紅梅，開得如同胭脂一樣，映著雪色，顯得分外精神。

吃早飯時，湘雲和寶玉悄悄商議，要了一塊新鮮的鹿肉，拿到園裡去烤，想邊烤邊吃，即興作詩。兩個人挽起袖子就烤起來。這時平兒回復李紈，說鳳姐有事不能來，一看這麼有趣，便也圍著火爐幫他們烤，不一會兒香傳千里，屋裡眾人正思索著詩題，擋不住香氣，於是大家都吃了起來。突然鳳姐也來了，也湊上去吃起來，不大工夫，鹿肉一掃而光。平兒洗手之後，要帶鐲子時，卻少了一個，左右前後亂找了一番，蹤跡全無。

眾人回到屋裡，牆上已貼出詩題、韻腳、格式來了。寶玉湘雲二人忙看時，只見題目是：「即景聯句」，五言排律一首，限「二蕭」韻。

第五十回　蘆雪亭爭聯即景詩　暖香塢雅製春燈謎

大家商量後決定，第一句讓鳳姐來作，第二、三句讓李紈來作，其他的人就抽籤決定順序，但輪過一圈以後，誰腦筋動得快就先說，轉眼就成了湘雲、黛玉、寶釵的天下了，其他的人看她們三個輪戰，也聽得哈哈大笑。

在聯句中，寶玉因聯句落後，罰他到櫳翠庵折紅梅花，又以「紅梅花」三字為韻，作一首七律。大家又叫新來的岫煙、李紋、寶琴作一首七律。

賈母來到蘆雪亭，帶他們到惜春那兒看大觀園的畫。賈母看到寶琴雪下折梅，說比畫兒上還好看，又細問寶琴的八字和家內景況。薛姨媽知道賈母要把寶琴給寶玉作配。賈母聽見她已定了親，也就不提了。大家閒話了一會兒，各自散去。

次日，賈母說「有作詩的，不如作些燈謎兒，大家正月裡好玩」，因此引起了衆人作燈謎的事來。湘雲的謎語，大家想了半天，還是不解，只有寶玉一下子就猜對了。

第五十一回 薛小妹新編懷古詩 胡庸醫亂用虎狼藥

寶琴將素昔所經過各省古蹟爲題，作了十首懷古絕句，內隱十物，大家猜了一會，沒有猜對。

由於襲人的母親病重，襲人的哥哥來接她回去住幾天。襲人不過是個丫頭，但探親時卻大擺排場，由王熙鳳親自辦理，派了兩輛車，八個跟從，衣服換好的，首飾要華麗的，拿手爐也拿好的。

襲人不在，晚上就由晴雯和麝月在臥房伺候寶玉。晴雯因頑皮受寒，寶玉見她兩腮鮮紅，兩手冰涼，連忙用手給她捂著。第二天，晴雯的病情加重，寶玉捨不得讓她回家，讓丫鬟們別聲張，防止賈母、王夫人得知消息，因爲賈母知道的話，爲免傳染給寶玉，要被送回家去。寶玉忙請了大夫來看病，這大夫用了給男人治病的藥劑給晴雯開了藥方。寶玉看了，大罵了一通，又讓人再請一位熟醫生來。開了藥方，寶玉仔細看了，認爲合適，才讓婆子們去取藥。取來了藥，就讓丫鬟們在自己的房中架上火盆煎，弄得滿屋子藥味，但寶玉說藥氣比一切的花香還香，讓晴雯放心，故晴雯暗自感激他的好意。

第五十二回　俏平兒情掩蝦鬚鐲　勇晴雯病補雀金裘

寶玉偷聽了平兒和麝月的對話，知道平兒的手鐲被墜兒偷了，平兒把這件事掩飾過去。寶玉告訴晴雯，晴雯知道平兒的鐲子被墜兒偷了，恨不得立刻攆墜兒出去，但被寶玉制止。但忍不了多久，還是趁寶玉不在的時候藉寶玉的名義把她攆走。

那晚上，寶玉回來一進門就瞎聲頓足，原來他不小心把賈母所賜他的一件俄羅斯來的孔雀裘燒了一個洞，明早見不得老祖母，而外邊匠人又不會織補它，於是正在發著高熱、病勢沈重的晴雯只得奮勇掙命了。

第五十三回　寧國府除夕祭宗祠　榮國府元宵開夜宴

寶玉見晴雯將雀裘補完，已經力盡神危，忙讓小丫頭來替她搥著，直到天亮，讓人去請醫生。晴雯此症雖重，幸虧她素昔是個使力不使心的人，再者在寶玉的精心照料下，晴雯的病便漸漸的好了。

轉眼年關又近，賈府又開始忙著辦年貨。每年臘月，各處田莊的莊頭，就帶著大批財物向府上交納。今年比以前少了很多，因此賈府的經濟情況不如以前，越來越不好。

正月是榮寧二府最熱鬧的日子，除夕祭祖之後，天天擺酒聽戲，來往的親友絡繹不絕，一直到初八才稍爲消停。緊接著，元宵節又到了。正月十五的夜晚，二府張燈結彩。賈母在大廳上擺了幾桌酒席，與孫男、孫媳婦共度良宵。

第五十四回　史太君破陳腐舊套　王熙鳳效戲彩斑衣

戲看了一半，賈母讓人往戲臺上扔賞錢。然後叫來說書的女藝人，讓她說一段新書，又讓她彈一套《將軍令》。衆人邊聽邊飲酒，吃元宵。

鳳姐見賈母高興，就提議做個擊鼓傳梅的遊戲，由女藝人擊鼓，衆人傳遞梅花，鼓停時梅花在誰手裡，誰就說個笑話。衆人聽了，都很贊成，因爲鳳姐是個笑話簍子，講起笑話來讓人笑得肚子疼。

遊戲開始，講了一些笑話讓大家開心，又讓氣氛和睦。講完了笑話，外邊燃起了焰火，焰火中夾雜著各種花炮，又有許多的小爆竹，像滿天星、九龍入雲、一聲雷、飛天十響之類，衆人沈醉於節日的歡樂中。

第五十五回　辱親女愚妾爭閒氣　欺幼主刁奴蓄險心

一過完年，接近初春時候，黛玉咳嗽的毛病又犯了，湘雲也因爲氣候不穩定感冒了，更糟的是，鳳姐流產了。鳳姐一向爭強好勝，不懂得保養身體，這下子更是整個人垮了，再也不能管理家務。這一來，王夫人像失去了條手臂似的，只好請李紈、探春幫忙處理家中瑣事，自己專管對外應酬，又請寶釵來，把大觀園託她照管。

起初僕人們並不把李紈和探春放在眼裡，都認爲李紈老實、探春年輕，就存著偷懶、懈怠的心理。探春當事之初，恰遇到她的生母趙姨娘之弟趙國基死亡的事。老管家吳新登家的便故意不說明往例，不提供辦法，爲難探春。但探春查明了舊帳，按常規舊例來發落，並且當面指責了吳新登家的。結果趙姨娘來瞎鬧撒潑，覺得這個女兒太不給面子，但探春義正辭嚴地說明。探春又意識到重疊的月費，因此蠲免了寶玉、賈環、賈蘭的點心紙筆的月錢。此後，大家漸漸感覺到，探春的精明能幹並不在鳳姐之下，發起威來，更叫人敬畏，便又恢復謹慎小心的態度了。

探春主持幾天家務下來，感到家裡花費太大，一直想如何節省開支，這天便請寶釵來，並要平兒代替鳳姐，四個人一起商量這件事。

第五十六回 敏探春興利除宿弊 賢寶釵小惠全大體

探春提出了兩件事。一件是把每個姑娘每月重支的頭油脂粉費蠲免了；另一件是探春看了賴大家花園的管理方法，感到大觀園中所產生的稻米、竹筍、蓮藕、花果、魚蝦等完全糟蹋了，就提出了一個新的管理方法。從園裡的老嬤嬤中，挑出幾個老實又懂得園藝的人，派她們專門管理。不要她們繳稅，只要她們每年拿出東西給主人就好，其餘的任她們拿去賣，由她們每人負責園內的一項開銷。這樣，一來園子有專人管理，花木必定一年比一年好；二來也不浪費；三來老嬤嬤們也賺些外快；四來可以省下找花匠來打掃的工錢。

於是先選出幾個比較老實可靠的老婆子，然後把這個主意告訴她們，沒有一個不願意的。一切安排好後，婆子們就各自散去。

來了江南甄府的四個女人，她們提及甄家寶玉之事，寶玉原本不相信，以爲是這些女人承悅賈母之詞，湘雲又提起甄寶玉和賈寶玉是一對，於是寶玉回房後在疑心與好奇心之下作了見甄寶玉的夢。

第五十七回 慧紫鵑情辭試莽玉 慈姨媽愛語慰癡顰

寶玉來看黛玉，見她正睡著，沒敢驚動，回頭看見紫鵑正在走廊上繡花。紫鵑對黛玉的心事十分了解，她希望寶黛二人能成眷屬，但不知寶玉心思如何，就想試探他。因此紫鵑以黛玉「要回蘇州去」的謊言試探寶玉，寶玉聽了紫鵑的話，如同頭頂上響了一個焦雷一樣，兩眼直呆呆的，說不出話。這時，晴雯來找寶玉，紫鵑回房去了。

晴雯看寶玉呆呆的，一頭熱汗，滿臉紫脹，忙拉著他的手，來到怡紅院。襲人見了這般，還以爲是受了外感，仔細一看，寶玉的兩個眼珠竟然不轉了，兩眼發直，嘴角上流出了口水，都不知覺。衆人慌張起來，又不敢立即告訴賈母，先把寶玉的奶媽李嬤嬤請了來。李嬤嬤看了寶玉好一會兒，大叫一聲，就摟著寶玉放聲大哭。大家看李嬤嬤這個樣子，不禁也都哭了起來。晴雯告訴襲人，剛才寶玉跟紫鵑在一起說話來著。襲人連忙到瀟湘館來，見紫鵑正服侍黛玉吃藥，也顧不得什麼了，走上來就問紫鵑跟寶玉說些什麼了。黛玉一聽寶玉如此形景，「哇」的一聲，把剛喝進的藥全部吐出來了，撕心裂肺地咳嗽了幾陣，喘得抬不起頭來。紫鵑忙上來捶背，黛玉推開紫鵑，叫她去跟寶玉解釋。紫鵑連忙同襲人到了怡紅院。賈母、王夫人已得信到了那裡。賈母一看到紫鵑就要罵，但寶玉見了紫鵑「哎呀」了一聲，哭出來了。衆人這才放了心。寶玉卻一把拉住紫鵑，死也不放，怕她們回蘇州去，賈母只好讓紫鵑守著他。幾天後，寶玉的病好了，紫鵑仍回到瀟湘館。紫鵑把寶玉的情形詳細地告訴黛玉，然後勸她早日拿定主意。黛玉聽了，雖說嘴上在責備紫鵑嘮叨，心裡卻感激不已，想到自己父母雙亡，終身大事沒人去爲自己做主，不禁傷感地哭泣了一夜。

薛姨媽看岫煙爲人溫柔厚道，便爲薛蝌作媒，邢夫人也樂得兩家親上加親，親事就說定了。

這天寶釵來看黛玉，半路上碰見了岫煙，從親事定了之後，岫煙看到寶釵，不禁有些害羞。寶釵看岫煙已穿春天的衣裳，問其緣故，才知道岫煙把棉衣服當了。寶釵想幫她把衣服贖回來，叫她把當票送到蘅蕪院。

寶釵一進黛玉的房間，正碰上薛姨媽也來了，黛玉看見寶釵在薛姨媽面前撒嬌，便流著眼淚嘆氣，薛姨媽過來安慰她。這時，湘雲走了進來，晃了晃手中的當票，黛玉看了也不認得，寶釵連忙接過來，一看正是岫煙說的那張當票，寶釵不方便講出來，說是香菱拿出來玩的。這時邢夫人派人來請薛姨媽去，婆子們也各自散了後，寶釵才問湘雲是在哪裡撿到的。寶釵不好隱瞞她們，就說出了岫煙的情形。黛玉也是寄人籬下，就不免有點感嘆，湘雲可就動氣了。

第五十八回 杏子陰假鳳泣虛凰 茜紗窗真情揆癡理

宮中那位太妃病逝了，所有封了爵位的官員家，一年內不能擺酒宴，受封誥的命婦還必須每天入宮祭拜，所以賈母、邢夫人、王夫人、尤氏都得去。每天都到傍晚才能回來。且拜了二十一天後，還須陪同送葬到皇陵，來回需花一個多月的時間。榮寧二府事務繁雜，李紈、探春根本忙不過來，大家便商量著替尤氏請了產假留下來，又請薛姨媽也搬進大觀園，照管她們姐妹和丫鬟們。由於寶釵那兒已經住了香菱和湘雲，而賈母又特別託薛姨媽照顧黛玉，所以就安排她住在瀟湘館。薛姨媽也十分疼愛黛玉，每天用藥飲食，細心調理。黛玉眞是感激不盡，敬愛如親娘，對寶釵更如親姐妹一般。

當年爲了迎接元妃省親，從外地買來十二個女孩子學習演戲。以後她們留在府中，逢年過節爲府上表演戲劇。但現在一年內不能擺酒宴，因此王夫人和尤氏商議，想把她們遣發了，願意回家的給幾兩銀子當路費，願意留下來的留在府中使喚。結果到有一多半不願意回家，留在府中。

轉眼到清明節，吃完飯後，寶玉拄著手杖，到園子裡散步，看到一棵大杏樹，花已落光了，綠葉叢中結著豆子大小的小杏。他想起邢岫煙已擇了夫婿，雖說是男女大事，不可不行，但未免又少了一個好女孩兒，不過二年，便也要「綠葉成陰子滿枝」了；再過幾日，這杏樹子落空，再幾年，岫煙也未免烏髮如銀，紅顏似槁了。因此，不覺傷心，只管對杏嘆息。忽見藕官因在院子裡燒紙錢被一個婆子看到而被罵，寶玉出來爲藕官掩飾。婆子走後，寶玉問藕官到底是給誰燒紙。藕官十分感激寶玉對她的庇護，知道寶玉是個重情義的人，就想把眞情告訴他，卻又覺得不好開口，就讓寶玉去問芳官。

芳官的乾娘賺了芳官的錢又作賤芳官，芳官和她乾娘兩個吵了起來，晴雯忙著過去指斥這個昏愚的老婆子，使那婆子羞愧難當。後來，寶玉找到了芳官，把剛才藕官的事情說了一遍。芳官告訴他，原來藕官和藥官很親熱，藥官一死，藕官就如同死了妻子一樣，哭得死去活來，到如今不忘，所以每節燒紙。寶玉聽了，又是喜歡，又是感嘆。

第五十九回 柳葉渚邊嗔鶯叱燕 絳芸軒裏召將飛符

有一天，湘雲兩腮作癢，恐又犯了桃花癬，因問寶釵要些薔薇硝擦。寶釵因命鶯兒去瀟湘館取些來。鶯兒和蕊官一起去瀟湘館，不覺到了柳葉渚，順著柳堤走來，因見葉纔點碧，絲若垂金，而兩人一邊走，一邊摘柳條、採野花來編花籃，到了瀟湘館，把這個送給黛玉。

她們拿到薔薇硝後，一逕順著柳堤回來。鶯兒想把花籃子送每個姑娘，因便又採些柳條，索性坐在山石上編起來。這時春燕過來，跟她們講了藕官和芳官之事。由春燕的口中說出大觀園丫頭和婆子之間的種種複雜的情況：有恩怨，有糾紛，有利益之爭。春燕姑媽是管理院子的，此時她姑媽過來，那婆子見採了許多嫩柳，又見藕官等採了許多鮮花，心裏便不受用，看著鶯兒編弄，又不好說什麼，又鶯兒說了玩話，她信以爲眞，拿起柱杖就打了春燕。偏又有春燕的娘出來找她，聽那婆子的話，打了春燕。春燕啼哭著往怡紅院去了。她娘怕她說出來，不免趕著來。春燕一直跑入院中，因春燕被打的事情驚動了寶玉，有人去回平兒要攆了她娘，婆子自然捨不得出去，向襲人求情。

第六十回 茉莉粉替去薔薇硝 玫瑰露引出茯苓霜

一天，蕊官得到了一些擦臉用的薔薇硝，就託春燕給芳官送去一包，芳官很高興。可巧賈環也在寶玉房中，就厚著臉皮要討，芳官捨不得，就從梳妝盒裡找出一包茉莉粉給了他。賈環興沖沖地回到家中，見丫鬟彩雲和趙姨娘閒聊，便把薔薇硝給彩雲。彩雲打開來看，不是薔薇硝，而是茉莉粉。趙姨娘很生氣，拿著那包粉，飛也似地向大觀園走去。寶玉不在屋，芳官正和襲人吃飯，見趙姨娘來了，忙起身讓坐。趙姨娘也不答話，走上來就把那包粉向芳官臉上摔去，罵起來。芳官禁不住，說了「梅香拜把子，都是奴才」。趙姨娘見她輕賤自己，氣得走上來打她兩個耳刮子。芳官挨了打，那裡肯依，便打滾撒潑的哭鬧起來，又往趙姨娘懷裡撞。這時，藕官、蕊官、葵官、荳官得到了消息，一齊跑進怡紅院。她們不顧別的，跟趙姨娘打起來。正沒開交，誰知晴雯早遣春燕回了探春，當下尤氏、李紈、探春三人帶著平兒與衆媳婦走來，忙忙將四個喝住。探春為自己的母親做出這種不體面的事而難為情。

柳家的是在廚房為姑娘們辦伙食的，她想把女兒「五兒」設法補進怡紅院中去做丫鬟。由於芳官與五兒要好，故託芳官去跟寶玉說五兒的事情。寶玉雖是依允，只是近日病著，又有事，尚未及說。芳官知道五兒吃了玫瑰露，身體好多了，因此，跟寶玉要了玫瑰露，寶玉命襲人取出來，見瓶中也不多了，遂連瓶給了芳官。柳家的把玫瑰露分給她哥哥。她嫂子也把茯苓霜給柳家的。這是她哥哥門上該班時，有粵東的官員來拜，送了上頭兩小簍子茯苓霜，餘外給了門上人一簍作門禮的。

第六十一回 投鼠忌器寶玉瞞贓 判冤決獄平兒行權

迎春房里的司棋派小丫頭蓮花兒來要一碗蒸雞蛋，柳家的以沒有雞蛋爲理由不肯供應，結果司棋帶領小丫頭們來廚房，喝命動手，於是把廚房裡的東西都摔掉了，司棋連說帶罵，鬧了一回，才回去了。柳家的只好摔碗丟盤自己咕嘟了一回，蒸了一碗蛋令人送去，可是司棋全潑在地下，那人回來也怕又吵起來，不敢說。

五兒想把茯苓露分給芳官，遂用紙另包了一半，趁黃昏人稀之時，自己花遮柳隱的來找芳官，忽遇見林之孝家的帶著幾個婆子走來。林之孝家的聽五兒詞鈍意虛，又因近日玉釧兒說王夫人房內失落了東西，心下便起了疑心。故帶著衆人去廚房仔細地搜，結果取出玫瑰露瓶，又得了一包茯苓霜，於是帶了五兒來回李紈與探春。李紈和探春已經睡著了，鳳姐聽見此事，便吩咐將她娘打四十板子，攆出去，永不許進二門。把五兒打四十板子，立刻交給庄子上，或賣或配人。平兒聽了，出來依言吩咐了林之孝家的。五兒唬的哭哭啼啼，給平兒跪著，細訴芳官之事，忙又將她舅舅送的一節說了出來。平兒聽了之後，命將她交給上夜的人看守一夜，等明兒再做道理。因此五兒被軟禁起來，於是有素日與柳家的不睦的人，都來奚落嘲戲她。這五兒心內又氣又委屈，竟無處可訴，且本來怯弱有病，這一夜連水都不能喝，哭了一夜。

和柳家母女不和的那些人，巴不得一時攆出她們去，惟恐次日有變，大家先起了個清早，都悄悄的來買轉平兒，一面送些東西，一面又奉承她辦事簡斷，一面又講述柳家的素日許多不好。平兒一一的都應著，打發他們去了，卻悄悄的來訪襲人，問她芳官有沒有給五兒玫瑰露。其實彩雲受趙姨娘的託才偷了王夫人的玫瑰露。平兒和寶玉知道眞相後，爲了顧全探春，說寶玉要嚇玉釧兒，才拿走的。這樣柳家的的冤枉都解除了。

第六十二回　憨湘雲醉眠芍藥茵　獃香菱情解石榴裙

林之孝家的就派了司棋的嬸娘秦顯家的去接收廚房，那秦顯家的好容易等了這個空子鑽了來，只興頭上半天，悄悄的向林之孝家的和幾位同事送禮，以求照應。可是平兒吩咐林之孝家的把柳家的母女帶回，照舊去當差，又將秦顯家的仍舊追回。秦顯家的聽了這消息，轟去魂魄，垂頭喪氣，登時掩旗息鼓，卷包而出。送人之物白丟了許多，自己倒要折變了賠補虧空。連司棋都氣了個倒仰，無計挽回，只得罷了。

到了寶玉的生日，恰好寶琴、岫煙、平兒也生日，姐妹們都來給他祝賀，因賈母、王夫人不在家，正好可以開懷暢飲，縱情作樂。擺了幾桌宴席，在席間大家行起酒令來玩，輸的人喝了罰酒。玩了一回，大家方起席散了，卻忽然發現湘雲不見了，只當是她出去方便了，誰知過了好半天仍不見蹤影，就派人去找。原來，湘雲被罰了幾杯酒，心裡發熱，想找個僻靜的地方涼快涼快，於是走到芍藥花叢裡，坐在青石凳上，漸漸地支持不住，便倒下睡著了。衆人見湘雲躺在山石僻靜處的一個石凳子上，頭下枕著一個包滿芍藥花瓣的手絹包，睡得正香甜。四面芍藥花飛了一身，滿頭臉衣襟上皆是紅香散亂，手中的扇子落在地下，也半被落花埋了，一群蜂蝶鬧嚷嚷的圍著她。衆人看了，又是愛，又是笑，忙上來推她醒過來。湘雲在睡夢中還說酒令，唧唧嘟嘟地說個不停。

用過點心後，大家又在芍藥欄中，有的賞花，有的看魚，探春和寶釵在花廳下棋；寶玉和黛玉在花下唧唧噥噥地說著話；香菱和芳官、蕊官、藕官、荳官等約了鬥草玩，大家采了些花草來兜著，坐在花草堆中鬥草。鬥草的時候，她們鬧著玩，荳官把香菱壓倒，兩個人滾在草地上，不小心滾進窪子水。荳官一看，香菱的半條裙子都污濕了，感到不好意思，忙奪開手跑了。衆人怕香菱拿她們出氣，也都一哄而散。香菱站起身低頭一瞧，只見裙子上污了一片綠水，恨得罵不絕口，正好寶玉來了。寶玉替她出主意叫襲人用襲人的新裙子爲香菱換上。香菱走開了，走了幾步，又回頭叫住寶玉，想說什麼卻沒能說出，只是讓寶玉別把裙子的事告訴薛蟠。

第六十三回　壽怡紅群芳開夜宴　死金丹獨艷理親喪

寶玉回怡紅院時，襲人等人已經先回來，爲給寶玉過生日，她們夜間擺宴慶賀，又請來寶釵、黛玉、探春、湘雲、李紈等衆姐妹。大家正玩得熱鬧，卻聽到外面有人敲門，是薛姨媽派人來找黛玉，大家才知道已經三更了。黛玉便起身要走，襲人和寶玉還留想大家玩一會兒，但連李紈和寶釵也要走。客人走後，寶玉又和襲人她們鬧了起來，又猜拳，又唱歌，直鬧到酒喝光了，才東倒西歪地睡下。

第二天，大家睡到大天亮才起來，說到昨夜的事，都還興奮不已，忽然看見園子裡來玩的尤氏和平兒，平兒來請昨日在席的人吃飯。平兒走後，寶玉梳洗了正吃茶，忽然一眼看見硯台底下壓著一張粉箋子，上面寫著「檻外人妙玉恭肅遙叩芳辰」。他馬上拿了紙，研了墨，看他下著「檻外人」三字，自己竟不知回帖上回個什麼字樣才好。正要去問黛玉，剛過了沁芳亭，忽見岫煙顫顫巍巍的迎面走來。他跟岫煙提及此事，才知道岫煙和妙玉有半師半友之情。岫煙給寶玉指點，寶玉回房寫了帖子，上面只寫「檻內人寶玉熏沐謹拜」幾字，親自拿了到櫳翠庵，只隔門縫兒投進去便回來了。

在平兒還席的時候，忽然看見寧國府中幾個人，慌慌張張地跑來說賈敬死了。賈敬吃了道士煉的丹藥，中毒身亡。尤氏忙著料理後事，把娘家人也接來幫助操勞。尤氏的繼母尤夫人帶著兩個沒出嫁的女兒尤二姐、尤三姐趕來了。另一方面，賈珍接到父親的死訊，便立刻和賈蓉向皇帝請了假，父子倆連夜趕回家來。半路上，遇到賈編、賈恍。賈珍和賈蓉一聽到尤二姐、尤三姐來到賈府，不禁相視一笑。賈珍父子倆直接來到鐵檻寺，先打發賈蓉家中料理停靈之事。賈蓉來到家，一見尤二姐就醜態畢露。

第六十四回　幽淑女悲題五美吟　浪蕩子情遺九龍佩

寶玉見喪禮中沒有客人，遂欲回家看黛玉。寶玉路上遇見雪雁，聽說黛玉正在祭奠，想去安慰，但又覺得如果去得早的話可能會使她更增悲愁，所以先去找鳳姐探病。黛玉因爲曾見古史中有才色的女子，終身遭際令人可欣可羨可悲可嘆者甚多。今日飯後無事，因欲擇出數人，胡亂湊幾首詩以寄感慨，所以才做了五首詩。恰被寶玉翻見，將它題爲《五美吟》。

賈璉早就聽說尤氏姐妹長得風姿動人，只恨無緣相見，如今藉著料理賈敬後事的機會，每日與她們相遇，不禁動了垂涎之意。又聽說賈珍和賈蓉與尤二姐關係曖昧，便百般地撩撥她們，尤三姐十分冷淡，尤二姐卻動了心思。

有一次，賈璉與賈蓉一道去辦事。路上，賈璉不斷地誇獎尤二姐，賈蓉揣摩到了他的心思。賈蓉對尤二姐很有情意，只因父親也攪在其中，所以不能心滿意足。他想如果尤二姐嫁了賈璉，在府外居住，趁賈璉不在時，就可以前去鬼混了。因此提出了讓尤二姐做賈璉秘密的二房。賈璉聽賈蓉說得妥妥當當的，竟覺得是萬全之計，便滿心歡喜地答應了。賈蓉先去找賈珍夫婦，提到此事，尤氏知道這事不妥，極力勸阻，無奈賈珍主意已定，加上又不是親妹妹，也就不便深管了。接著，賈蓉去找尤二姐的老娘，滿口稱讚賈璉如何好，又說鳳姐的病是好不了的，很快尤二姐就能做正室，等等，說得天花亂墜。尤老娘信以爲眞，滿口應承。

因此，賈璉在外面買了房子，又買了兩個小丫鬟，賈珍還把鮑二夫婦派來伺候尤二姐。又幫她跟張華辦妥退婚之事。選定了初三爲成婚之日。

第六十五回　賈二舍偷娶尤二姨　尤三姐思嫁柳二郎

賈璉偷偷摸摸地娶了尤二姐，越看越愛，不知該怎樣待她才好，所以讓鮑二等僕人們不許說三道四，要稱尤二姐爲奶奶，自己也稱她爲奶奶，早把鳳姐忘得一乾二淨。家裡的僕人雖然多，都不願意管這種閒事，一個一個裝聾作啞，故鳳姐一時也沒起疑心。

過了兩個月，一天，賈珍假裝有事找賈璉，特地來看尤二姐、尤三姐。賈珍看賈璉順利地娶到尤二姐，就希望自己也能得到尤三姐。現在父親賈敬的喪事終於辦妥了，賈珍就想來試一下尤三姐的心意。賈璉回來知道賈珍來了，他早已看穿了賈珍的心意，陪賈珍和尤三姐喝酒。尤三姐也早就看透了賈珍的心思，於是打定主意，然後責罵他們，罵得很凶，故賈璉和賈珍被尤三姐嚇到，他們沒想到尤三姐的性格這麼剛烈，一時竟不知如何是好，就由著尤三姐數落了半天，直到尤三姐喝斥夠了，才把他們攆出去。從此以後，尤三姐每日痛罵賈珍、賈璉和賈蓉，說他們誆騙了她寡婦孤女。賈珍再也不敢輕易進門。尤三姐越來越任性起來，尤老娘和尤二姐勸她不要這樣，但尤三姐不聽勸告，只好由她去了。

尤二姐與賈璉商量，要爲尤三姐解決終身大事。他們問尤三姐的意思。正說著，忽然看見賈璉的心腹興兒來說賈赦找他。

興兒留下來，跟尤二姐聊起榮國府的事來，興兒說到鳳姐時，便把她批評得一無是處。

第六十六回　情小妹恥情歸地府　冷二郎一冷入空門

尤二姐把尤三姐看上柳湘蓮以及說非柳湘蓮不嫁的事告訴賈璉。賈璉當下派人去找焙茗問柳湘蓮的下落，但沒有人知道。賈璉因爲忙著去平安州出差辦事，只好把這事先放下。

賈璉正在趕路，在半路上，遇見了薛蟠和柳湘蓮。薛蟠就講起路上遭劫，幸好遇到柳湘蓮挺身相救，二人拜了生死弟兄的經過。賈璉想起尤三姐的心願，便向柳湘蓮提出這門親事，湘蓮答應了，又從行囊中拿出一把鴛鴦劍交給賈璉，就做爲信物。

賈璉到平安州辦完事立刻趕回家，然後去見尤氏姐妹，將路上巧遇柳湘蓮的事說了一遍，又將鴛鴦劍交給尤三姐。三姐抽出一看，卻是兩把合體的寶劍，一把上面鏨一「鴛」字，一把上面鏨一「鴦」，冷颼颼，明亮亮，如兩痕秋水一般。三姐喜出望外，連忙收了，掛在自己繡房床上，從此每天看著寶劍，癡等湘蓮前來。

湘蓮在外遊蕩一陣之後，來到京都，先去拜見薛姨媽，接著見寶玉。他把路上所有的事情都說給了寶玉。湘蓮知道尤三姐是賈珍的小姨，心浮氣躁，很後悔，便決定去找賈璉要回鴛鴦劍。

賈璉正在新房裡，聽說湘蓮來了，忙迎了出來，讓到屋中。湘蓮以家中伯母已爲自己定親爲理由，請求解除婚約，索回鴛鴦劍。他們剛才的談話，全被尤三姐聽見了。尤三姐連忙摘下劍來，將一股雌鋒隱在肘後，出來把寶劍遞給湘蓮，淚如雨下。然後，她左手卻將劍拉出，往脖子上一橫。當下嚇得衆人急救不及。

湘蓮大吃一驚，撫著尤三姐的屍體痛哭，又等買了棺木，眼看著入殮，又撫棺大哭一場，才告辭離去。

柳湘蓮出了門口，不知要到何處去，昏昏沈沈地往前走，忽見薛蟠的小廝來找他，領他進了新房。這時，尤三姐從外邊來了，一手捧著鴛鴦劍，一手捧著一卷册子，向柳湘蓮哭著說，說完，一陣香風，無蹤無影去了。湘蓮驚醒，睜眼一看，哪裡是什麼新房，原來是一座破廟，旁邊坐著一個瘸腿道士捕虱。湘蓮心一冷，抽出那股雄劍，把頭髮削掉，便跟著那道士，不知往那裏去了。

第六十七回　見土儀顰卿思故里　聞秘事鳳姐訊家童

薛姨媽聞知湘連已說定了娶尤三姐爲妻，心中甚喜，正高高興興地要打算替他買房子，擇吉迎娶，以報他救命之恩。接著聽到尤三姐自盡的消息，不知爲何，心甚嘆息。相反地，寶釵聽了，並不在意。

寶釵把薛蟠從江南帶來的東西一件一件地過了目，除了自己留用之外，一分一分配合妥當。只有黛玉的比別人不同，且又加厚一倍。一一打點完畢，使鶯兒同著一個老婆子，跟著送往各處。黛玉看見家鄉之物，反自觸物傷情，想起：「父母雙亡，又無兄弟，寄居親戚家中，那裏有人也給我帶些土物來？」想到這裏，不覺地又傷起心來了。

襲人因寶玉出門，自己做了回活計，忽想起鳳姐身上不好，這幾天也沒有過去看看，又聽說賈璉出門，正好大家說說話兒，因此，乘寶玉不在去探望鳳姐，臨行前關照晴雯，就去了。經過葡萄架，老祝媽請她摘一點果子嚐嚐，襲人正色地指責說不能比上頭先吃。

賈璉去平安州辦事，他的小廝沒有跟著去，留在府中閒逛。一天，平兒的小丫鬟聽見兩個小廝談論起新二奶奶什麼的，又見旺兒走過去制止他們。丫鬟把這事告訴了平兒，平兒又告訴了鳳姐。鳳姐想起幾個月來賈璉經常不回家，心中立刻生疑，忙把興兒叫來。

興兒一聽事發了，知道瞞不下去，只好從頭到尾，一五一十地說給鳳姐聽。

第六十八回　苦尤娘賺入大觀園　酸鳳姐大鬧寧國府

鳳姐去稟告賈母、王夫人，說自己明天一早要去尼姑庵上香。第二天一早，鳳姐只帶了平兒、豐兒、周瑞媳婦、旺兒媳婦四人，由興兒帶路，車子直接來到尤二姐的住處。二人相見，都作出笑臉施了禮。鳳姐裝得很賢慧，又流眼淚，尤二姐是心慈面軟的人，見這情形，早被感動得流下眼淚來，竟把鳳姐視爲知己，一切聽從她的安排。

當下，收拾了東西，上了車，隨鳳姐搬家。鳳姐說，等稟告了賈母、王夫人，再讓她和自己同住。然後把尤二姐先寄放在李紈那兒，李紈也覺得鳳姐考慮得對，便答應了。鳳姐對大觀園的婆子丫鬟們下令：誰也不准走露風聲，如果讓賈母、王夫人知道，絕不饒恕。鳳姐又將尤二姐的丫鬟打發走，派出自己的丫鬟服侍。又暗中吩咐園中的媳婦們，好好照看著，別讓她跑掉。幾天後，丫鬟開始不聽使喚了，漸漸地連飯也不端來，端來的都是些剩飯。鳳姐每隔五天八天的，都要來見見尤二姐，滿臉和顏悅色，滿嘴妹妹地叫著，還罵丫鬟服侍得不好。尤二姐以爲是丫鬟的不好，與鳳姐無關，因此爲了不讓鳳姐操心，還爲丫鬟們說好話。

同時，鳳姐卻在外面打聽了尤二姐的原訂夫家張華的住處，叫旺兒拿著錢鼓動張華去官府告下賈蓉，說他強逼退婚。官府派人來傳賈蓉，賈珍、賈蓉驚慌失措。鳳姐得知，來到寧國府，呼天喊地，大鬧了一通，最後，向賈珍索取了五百兩銀子，說是用它去官府說情，實際上裝入了自己的腰包，只拿出一部分給了官府，了結了官司。事後，鳳姐把打官司的事對尤二姐說了，尤二姐感激不盡，更加欽佩鳳姐的爲人。

第六十九回　弄小巧用借劍殺人　覺大限吞生金自逝

過了一陣子，鳳姐把尤二姐帶到賈母面前，不說是賈璉已娶的侍妾，只說是自己所看上的對象，先接來暫住，等一年後喪期滿了成親。賈母看尤二姐長得標緻，心裡也喜歡，便答應了。因把尤二姐接來與自己同住，贏得了全府人的讚嘆。

鳳姐心中也不安穩，她擔心張華把自己調唆的事情說出來，將來給自己找麻煩，就派旺兒去追尋張華，暗中把他殺掉，斬草除根，以絕後患。旺兒想，人命關天，不能兒戲，就出外躲了幾天，回報任務已經完成，鳳姐才放了心。

賈璉辦完了差事，回到府中，受到賈赦的稱讚。賈赦賞了他銀子，還把房中一個丫鬟秋桐，賞給他作妾。秋桐仗著自己是賈赦賜的人，以爲沒人能比得上自己，連鳳姐、平兒也不放在眼裡。鳳姐雖然很恨秋桐，但她借用秋桐來先殺死尤二姐，然後再解決秋桐。秋桐張口閉口地咒罵尤二姐，又到賈母、王夫人跟前造謠生事，賈母、王夫人也開始討厭尤二姐。不到一個月，尤二姐就得了一種病，四肢懶動，茶飯不進，漸次黃瘦下去。夜來合上眼，只見他妹妹手捧鴛鴦劍。賈璉連忙派人去請醫生，誰知道來的卻是一個庸才，一副虎狼之藥，把尤二姐懷的男胎打了下來，流血不止，二姐就昏迷過去。晚間，平兒去尤二姐那邊勸慰了一番，尤二姐也哭訴了一回。平兒走後，尤二姐尋思，如今胎已打下，沒有什麼掛念了，自己處在這樣的環境，沒有活的希望，不如早早一死。想到這裡，就穿戴整齊之後，把一塊金子吞了下去，便躺在床上靜靜地死去。尤二姐死後，衆人雖素昔懼怕鳳姐，然想著尤二姐的溫和柔順都悄悄地哭了，賈璉更是哭得柔腸寸斷，卻也只能草草地埋葬了她。

第七十回　林黛玉重建桃花社　史湘雲偶填柳絮詞

寶玉早晨起來，正與晴雯幾個人玩耍，忽然湘雲派人來請寶玉，讓他去看好詩。寶玉忙著出去，果見黛玉、寶琴、湘雲等手中拿著一篇詩稿看。寶玉看了，並不稱讚，癡癡呆呆，竟要流下淚來。這是黛玉寫〈桃花行〉，來表達自己內心的憂傷、痛苦。自從林黛玉的〈桃花行〉讓衆人看後，大家就同意將海棠詩社改爲桃花社，黛玉爲社主。她們本來第二天舉辦詩會，但一直家裡有事，沒辦法開。

有一天，賈政書信到了，說六月中準進京，因此，襲人提醒寶玉寫字不夠，因此寶玉天天用功。黛玉聽說賈政回家，賈政必問寶玉的功課，寶玉一向分心，到臨期自然要吃虧。因此自己只裝不耐煩，詩社便不提起。探春、寶釵二人，每日臨一篇楷書字給與寶玉。寶玉自己每日也加工。至三月下旬，便將字又集湊出許多來。這日正算著再得幾十篇，也就搪得過了，紫鵑走來，送了一捲東西。寶玉拆開看時，卻是一色老油竹紙上臨的是鍾王蠅頭小楷，字跡且與自己十分相似。接著湘雲、寶琴二人皆都臨了幾篇相送。湊成，雖不足功課，亦可搪塞了。

他正在天天用功，可巧近海一帶海嘯，又糟蹋了幾處生民，地方官題本奏聞，奉旨就著賈政順路查看，賑濟回來。如此算去，至秋後方回。寶玉聽了，便把書字又擱在一邊，仍是照舊遊蕩。

因此他們舉辦桃花詩會，正在評點作品時，忽聽窗外竹子上刷啦一聲響，衆人唬了一跳。出去一看，只見一個大蝴蝶風箏掛在竹梢上。所以引起大家放風箏的興趣，丫頭們聽見放風箏，巴不得一聲兒，七手八腳，都忙著拿出來。其他人的風箏都放起來，只有寶玉的美人兒風箏，怎麼也放不起來，寶玉說丫頭們不會放，拿過來自己放，只起房高，就落下來，急得頭上的汗都出來了。大家玩了一會兒，用剪子把線剪斷了，風箏飛走了。

第七十一回　嫌隙人有心生嫌隙　鴛鴦女無意遇鴛鴦

八月初三是賈母「八旬大慶」，從七月開始送壽禮者便絡繹不絕，從七月二十八日起，至八月初五日止，榮寧兩處，齊開筵宴。

有兩個婆子得罪了尤氏，因此鳳姐便命：「將那兩個名字記上，等過了這日子，綑送到那府裏，憑大奶奶開發。或是打幾下，或是他開恩饒他們，隨他就完了。」周瑞家的聽了，巴不得一聲兒，素日因與這幾個人不睦，出來，便命一個小廝到林之孝家去傳鳳姐的話，立刻叫林之孝家的進來見大奶奶；一面又傳人立刻綑起這兩個婆子來，交到馬圈裏，派人看守。

那兩個婆子是邢夫人陪房費婆子的親戚，因此費婆子來找邢夫人幫忙。邢夫人自為要鴛鴦討了沒意思，賈母遂冷淡她；且前日南安太妃來，賈母又單令探春出來，自己心內早已怨恨；又有在側一干小人，心內嫉妒，挾怨鳳姐，便調唆得邢夫人著實憎惡鳳姐；如今又聽了如此一篇話，也不說長短。至次日邢夫人直至晚間散時，當著衆人，陪笑和鳳姐求情，說出兩個婆子被捆的事情，故意公開地給王熙鳳難看。

鴛鴦從大觀園回來時，無意中看見司棋和司棋的表哥在一起，司棋拜託鴛鴦不要說出去。

第七十二回　王熙鳳恃強羞說病　來旺嫂倚勢霸成親

司棋怕鴛鴦把昨天的事說出去，茶飯無心，起坐恍惚。過了兩天，竟聽不見有動靜，才放下了心。這日晚間，司棋聽說表兄逃走，三四天沒回家，又氣又急又傷心，因此，次日便覺心內不快，支持不住，一頭睡倒，懨懨的成了病。鴛鴦聽說那邊無故走了一個小廝，園內司棋病重，心下料定是二人懼罪之故，生怕自己說出來。因此，自己反而過意不去，來探望司棋，跟她發誓這件事絕對不會說出來。鴛鴦又安慰了她一番，才出來。鴛鴦知道賈璉不在家，又因這兩日鳳姐聲色怠惰了些，不似往日一樣，因此順路也過來探望。

賈璉回家，看見鴛鴦正和平兒說話，賈璉向鴛鴦說了賈府缺錢的事，請求鴛鴦把賈母的金銀家當來當押。正說著，賈母房中的小丫鬟來找鴛鴦，鴛鴦忙跟著去了。賈璉見她走了，就來到房裡瞧鳳姐。鳳姐身上有病，已有很長時間，總不見好，此時剛剛睡醒，賈璉與鴛鴦的談話都聽見了。

此時，旺兒來求賈璉和鳳姐，他有個小子，還沒娶媳婦兒，要太太房裏的彩霞。因此鳳姐晚間已喚了彩霞之母來說媒，那彩霞的母親，滿心總不願意，見鳳姐親自和她說，何等體面，便心不由意的滿口應了出去。彩霞因前日出去等父母擇人，心中雖是與賈環有舊，尚未作准。今日又見旺兒每每來求親，早聞得其子酗酒賭博，而且容顏醜陋，心中越發煩惱，生恐旺兒仗勢作成，終生不遂，未免心中急躁。至晚間，悄悄命他妹子小霞進二門來找趙姨娘，問個端的。趙姨娘素日深與彩霞要好，巴不得給了賈環，所以調唆賈環去跟王夫人說，但賈環遲遲地不肯去說，一則賈環羞口難開，二則賈環也不在意，不過是個丫頭，她去了，將來自然還有好的，遂遷延不肯去說，意思便丟開了手。趙姨娘又不捨，又見他妹子來問，因便先求了賈政，但賈政反對。

第七十三回　癡丫頭誤拾繡春囊　懦小姐不問金纍鳳

這天夜裡，寶玉正要睡覺時，忽然趙姨娘的丫鬟跑來告訴寶玉，明天可能賈政要問寶玉的功課。寶玉聽了她的話，就像孫悟空聽到緊箍咒一樣，渾身上下都不舒服，想來想去，別無其他方法，只要書念熟了就沒事了。於是覺也不睡了，就下床要念書，可是看看這也不熟、那也記不清楚，寶玉嘆了口氣。突然春燕秋紋從後房門跑進來，口內喊說：有個人從牆上跳下來。大家一聽，嚇得到處嚷叫，只有晴雯靈機一動，立刻想到一個主意。叫寶玉趁這個機會，快裝病只說唬著了。這可正中寶玉下懷，因爲這樣一來，賈政就無法找他麻煩。於是，大伙便叫醒了守夜的起來抓小偷，晴雯和秋紋又故意去要安魂藥，鬧得賈母、王夫人都知道。

第二天，大家來向賈母請安時，賈母說了昨天的事，探春聽了賈母的話，就說最近因爲鳳姐生病，所以園裡的人比以前更放肆了，簡直是開起賭場來。賈母命令立刻查出賭錢的人來。林嬤嬤等人看賈母生氣了，都不敢敷衍了事，立刻去查，不一會兒，就查出了帶頭的三個，及其他聚賭的二十個人，都帶來見賈母。賈母當場發落：帶頭的一人打四十大板，攆出去，總不許再入，聚賭的一人打二十大板，革去三月月錢，派出清掃廁所。原來這三個頭家，一個是林之孝家的兩姨親家，一個是園內廚房柳家媳婦之妹，一個就是迎春的乳母。

邢夫人因爲迎春的奶媽使自己丟臉，就要去找迎春算帳。才進了大觀園，就看見賈母房裡的小丫鬟儍大姐，手裡拿了五彩的繡春囊，一邊瞧、一邊笑嘻嘻地往前走。邢夫人接過來一看，嚇得趕緊握在手中，叫儍大姐千萬別提。邢夫人到迎春那兒，把她數落了一頓，然後才走了。

第七十四回 惑奸讒抄檢大觀園 避嫌隙杜絕寧國府

邢夫人把繡春囊給王夫人看。王夫人看了大怒，氣沖沖地去找鳳姐，責問她爲什麼把這種東西隨便亂扔。鳳姐否認是自己的，並幫助王夫人分析，可能是大觀園裡的哪個丫鬟私藏的東西，正巧邢夫人的陪房王善保家的來打聽此事。王善保家的對人刻薄，平常進大觀園時，沒有受到丫鬟們的奉承，正想找事整治她們，如今出了這事，正好乘機報復，當下對王夫人說了不少丫鬟們的壞話，尤其是對晴雯，更是大肆誹謗。王夫人越聽越怒，立刻命小丫頭去叫晴雯。晴雯這兩天身體不舒服，一聽王夫人叫，只好跟著過來。晴雯雖然因爲病了，沒有怎麼打扮，卻是楚楚動人，但王夫人看她不順眼，王夫人怕晴雯把寶玉勾引壞了，因此，責罵她不要靠近寶玉。晴雯一肚子委屈，一邊哭一邊走回到怡紅院。

王夫人下令連夜搜查大觀園，鳳姐只得依從，帶著王善保家的和另外幾個管家婆子進了大觀園，先命令將通往園外的門都關上，就往守夜的老婆子們的住處先搜查。然後一群人來到怡紅院。寶玉見深夜來了一群人，不知要幹什麼。鳳姐只好說丟了一件東西，怕是丫鬟們偷了，查一查，去去疑心。襲人看到這種情形，知道一定出事了，就主動打開自己的箱子讓她們查。搜到晴雯時，她滿臉怒火，挽著頭髮闖進來，「豁啷」一聲，將箱子掀開，往地下一倒，將所有之物都倒出來。她還當著王熙鳳的面，大罵王善保家的。她們仔細查看，並沒查出什麼來，便出了怡紅院。鳳姐突然說因寶釵是親戚，而不能抄檢。說著，卻走進了瀟湘館。

黛玉已經睡了，聽見這些人來，不知爲甚事，才要起來，被鳳姐按住叫她不要起來，又和黛玉閑聊。那王善保家的帶了衆人，到了丫頭們的房中，查了一遍，卻從紫鵑房中抄出幾件寶玉小時候用過的東西，王善保家的很得意，忙拿給鳳姐看。鳳姐說他們從小在一塊玩，這不算希罕事。

接著又到探春院內，探春早已得知，與丫鬟們開門而待。衆人進來了，探春故意問緣故，然後讓她們搜檢自己的物品，但卻不讓她們搜自己丫頭的。她們知道探春不好惹，都起身要走，只有王善保家的仗著是邢夫人的心腹，連王夫人都看重她，竟不把探春看在眼裡，故意過去掀起探春的衣襟，結果被探春打了一巴掌。探春大怒，斥責痛罵，連鳳姐也都婉言軟臉的勸她不必生氣。

她們來到稻香村，李紈正病著，已經吃了藥睡了，鳳姐也不驚動她，只到丫鬟的房間搜了一邊，沒發現什麼，就離開了，順路過來惜春的住處。

惜春年幼膽小，嚇得不知如何是好，卻偏偏在她的丫鬟入畫的箱子裡搜出一大包金子，還有男人的靴襪等物。入畫急忙解釋，說是珍大爺賞給她哥哥的，哥哥讓他保存。鳳姐說，等查清了再說，但惜春卻堅決要求懲治。鳳姐笑一笑，將東西給周瑞家的保管，然後向惜春道別，又到了迎春的住處。

迎春的丫鬟司棋是王善保家的外孫女兒，鳳姐便故意盯著王善保家的如何行動。只見她先從別人的箱子查起，查到司棋的，隨便翻了翻，說沒有什麼東西。正要關上箱子時，周瑞家的發現一雙男人的鞋襪和一雙緞鞋，還有一個小包，裡面有一個同心如意和一個字帖。鳳姐拿過來看，原來是司棋表兄寫給她的一封情書。鳳姐大笑，把情書念了出來，羞得王善保家的恨不得找個地洞鑽進去。

第二天尤氏來看鳳姐，惜春派人來請尤氏過去，遂到惜春房中來，惜春就便將昨晚之事細細告訴了，又命將入畫的東西一一要來與尤氏過目。然後叫尤氏把入畫帶去，或打、或殺、或賣，自己一概不管。衆人幫入畫求情，尤氏也勸她，但是惜春雖然年幼，個性倔強，怎麼也不肯聽人的勸說，甚至說跟賈珍和尤氏也斷絕來往，惜春越說越絕，尤氏越聽越生氣。

第七十五回　開夜宴異兆發悲音　賞中秋新詞得佳識

尤氏從惜春那裡出來，去看李紈。此時，寶釵來跟李紈說，因爲薛姨媽生病所以要回家，而且趁這個機會要搬出大觀園。但其實抄撿大觀園的時候，寶釵是親戚，不便翻抄，後來寶釵知道了，她爲了表明自己無可懷疑，未受沾染，因此說要回家去。

尤氏又到賈母那裡，正好王夫人在說甄家因何獲罪，如今抄沒了家產，來京治罪等話。賈母聽了心裡難過，恰好見尤氏等來，便換個話題，商量中秋節賞月的事情。

尤氏天黑回到寧府，偷看賈珍等人賭博的情況。賈珍孝服未滿，不得治遊，但爲了「破悶」，故以習射爲由，招致邢夫人弟弟傻大舅之類的狐朋狗友，大開賭局，又招引男妓孌童到家。但是家裡的僕人藉此得到些利益，巴不得如此，因此成了局勢，外人皆不知道。而對此賈政還加以讚賞，讓寶玉等人也跟著習射。

那天晚上，賈珍帶領家人賞月的時候，忽聽靠祠堂的牆下有人長嘆之聲，大家都毛骨聳然，但什麼都沒有。只聽見一陣風聲，過牆去了，恍惚聽到祠堂內扇開閉之聲，只覺得陰氣森森，比先更覺得悽慘起來。看那月色時，也淡淡的，不像先前那麼明朗，衆人都覺得毛髮倒豎。賈珍酒已醒了一半，只比別人拿得住些，心下也十分警畏。次日一早起來，乃是十五日，帶領衆子姪開了祠堂行朔望之禮。細看祠內，照舊好好的，並無怪異之跡。賈珍自醉自怪，也不提此事。禮畢，仍舊閉上門，鎖禁起來。

到了中秋節，在凸碧山莊賞月，賈赦、賈政、賈珍、賈璉、寶玉、賈環、賈蘭等都到齊了，大家一起玩「擊鼓傳花」，若鼓停時花在手中的人，喝一杯酒，罰說笑話。

第七十六回　凸碧堂品笛感淒清　凹晶館聯詩悲寂寞

這次在凸碧山莊中秋賞月，表面看來賈赦、賈政、賈珍、賈璉、寶玉、賈環、賈蘭等都到齊了，得以母子團聚，比往年有趣，但實際上是在賈母強作精神下進行的。賈母感嘆人少，因寶釵姊妹二人回家自己人賞月而不在座內，李紈、鳳姐二人因生病不能參加。寶玉也因爲晴雯的病重而離席去了，探春也因近來家中之事而內心煩惱，偏偏在宴席進行間賈赦出去被石頭絆了一下，傷了腿。乍然聽見女子吹奏的笛聲，從桂花蔭裡傳來，嗚咽悠蕩，大家都不禁傷感。

在這悲淒的席宴上，黛玉見賈母「嘆少人」，自己不覺對景感懷，獨自倚欄垂淚。湘雲安慰黛玉，一起到池邊賞月聯句，以排遣寂寞，但是聯句中充滿了悲涼，妙玉出來止住她們，力圖翻轉前頭悽楚之句，續作了十三韻。

第七十七回 俏丫鬟抱屈夭風流 美優伶斬情歸水月

王夫人叫來周瑞家的，詢問抄檢大觀園的結果，周瑞家的就將查園的經過仔細地報告了一遍。王夫人聽了，十分爲難。因爲司棋是迎春的丫鬟，是邢夫人那邊的人，不便直接處理。周瑞家的說，不如把司棋和她的東西一起送給邢夫人，讓她看著辦。王夫人也同意了。

周瑞家的立刻帶著幾個人，來到迎春房中，說明來意。迎春流下眼淚，捨不得司棋，但事關風化，也只得如此了。司棋本指望迎春能保護她，見到此時迎春的態度，就無可奈何，只得含淚給迎春磕了頭，和衆姐妹告別。寶玉正要進園，迎面碰見司棋，又見有人抱著她的東西，料到此去再不能回來了，一心還想留住司棋，卻聽見另一頭有幾個老婆子說話，寶玉聽了，料定晴雯也不能保住，趕緊邁開腿，飛也似的跑回怡紅院。

寶玉趕到怡紅院，只見一群人在那裡，王夫人一臉怒氣，見了寶玉也不理。晴雯已經四五天沒進米水，氣息微微，蓬頭垢面，被婆子們從炕上拉下來。王夫人讓人把她的貼身衣服打點好，一同送回她的家中。接著，王夫人又把長得秀氣的丫鬟四兒和芳官也攆走了，說她們是狐狸精，把寶玉勾引壞了。又嚴厲警告襲人、麝月等人，不許做出一點份外的事。寶玉想上前攔阻，但在王夫人盛怒之際，沒敢多說一句，多動一步。寶玉覺得奇怪王夫人怎麼知道他跟丫鬟們之間的平日私話，因而對襲人起了疑心。

寶玉決定私下去探望晴雯。他央求一個看門的婆子把他帶到晴雯家，這婆子百般不肯，寶玉答應給她錢，才同意了。來到晴雯的家門，寶玉掀起草簾子進去，一眼看到晴雯在蘆席土炕上，心中不知怎麼辦才好，只得走過來，含著淚，伸手輕輕拉她，悄悄叫了兩聲。晴雯本來重病在身，又因在路上受了風寒，回家後又受了哥哥嫂嫂的氣，病上加病，咳嗽了一天，才朦朧睡著了。忽然聽見有人叫她，強著睜開眼睛，見是寶玉，又驚又喜，又悲又痛，一把拉過寶玉的手，死死地攥住。寶玉見晴雯喝著苦澀而無茶味的水如同甘露一般，心中難受，流著眼淚。晴雯說：不甘心擔了狐狸精的罪名，早知如此，當初會另有個道理。晴雯說完，咬下自己的指甲，脫下貼身的紅色的小襖，送給寶玉。寶玉連忙把短襖脫下給她，又把她的衣服穿在自己身上。此時，晴雯的嫂子突然進來，乃調戲寶玉，又緊緊地將寶玉摟入懷中。寶玉如何見過這個，一顆心早就跳起來了，急得滿面紅漲，又羞又怕。晴雯的嫂子說，她也懷疑過寶玉和晴雯有偷雞盜狗的事，但剛才聽了他們的談話，才知道他們之間是清白的，之前都是錯怪他們。

寶、晴二人依依不捨，少不得終有一別。寶玉回到房中，躺在床上，翻來翻去睡不著。到五更才朦朧睡去，只見晴雯從外面走進來，仍舊是往日的模樣，笑著跟寶玉告別，說完，轉身便走。寶玉大聲喊叫，讓她停下來，忽然驚醒，哭著對襲人說晴雯死了。襲人怎麼勸，寶玉不肯再睡，只等著天亮派人去打聽。偏偏天一亮，王夫人就派人來，叫寶玉陪賈政去朋友家賞菊花。

芳官、藕官、蕊官等被攆之後，就瘋了似的，茶也不吃，飯也不用，三個人尋死覓活，只要剪了頭髮做尼姑去。因此，芳官等三個的乾娘來跟王夫人說了。此時王夫人旁邊有各廟內的尼姑來送供尖，尼姑們聽了此話，巴不得把兩個女孩子去作活使喚，都向王夫人說了，所以芳官、藕官、蕊官等各自出家去了。

第七十八回　老學士閑徵姽嫿詞　痴公子杜撰芙蓉誄

王夫人因爲晴雯是賈母給寶玉的，所以不說出攆她走的眞實原因，只說是得了肺病，怕傳染給別人，才讓她出去。此時寶釵來跟王夫人等說，因爲薛姨媽生病所以要回家而且趁著個機會要搬出大觀園。但其實爲了迴避，自動搬離大觀園。

寶玉、賈環、賈蘭隨賈政外出賞菊，寶玉應酬了一天才回來。因爲怕襲人見怪，就拉著兩個小丫頭問襲人有沒有派人去看晴雯，才知道晴雯已經死了。寶玉又聽小丫頭說晴雯死後成了芙蓉花神，不但不奇怪，而且相信小丫頭的話，很高興。寶玉又去晴雯處探靈柩，但早已送火化廠去了。寶玉回來的時候，經過蘅蕪院，才想起寶釵已經搬出去，心中煩悶。寶玉認爲，只有黛玉和襲人是和他同死同歸的。

此時，賈政正與衆幕友們談論尋秋之勝，因此又叫寶玉來，談及前代恒王被殺，林四娘以死報恒王寵愛之恩的故事，然後叫寶玉、賈環、賈蘭作詩。寶玉在奉賈政之命做完詞之後，回到怡紅院，看見水池上的芙蓉花，想起小丫鬟說晴雯做了芙蓉之神，因此，寶玉寫成一篇〈芙蓉誄〉，追悼晴雯。

第七十九回　薛文龍悔娶河東獅　賈迎春誤嫁中山狼

寶玉才祭完了晴雯，突然聽到花蔭中有個聲音，到嚇了一跳，仔細一看，卻是黛玉。寶玉叫黛玉修改〈芙蓉誄〉，黛玉卻生氣地說晴雯又不是自己的丫鬟而拒絕了。黛玉又告訴寶玉，剛才王夫人打發人來，因迎春的親事定了，叫寶玉明天早一點去邢夫人那兒。

第二天，寶玉去邢夫人那兒，知道賈赦果然將迎春許配給孫祖紹，而且急著要在今年內娶過門去。這原是喜事，但寶玉聽說迎春出嫁的日子很近，邢夫人將迎春接出大觀園去，因此，寶玉心中總覺得不快樂。其實，孫家雖然也是官宦世家，但一向喜歡巴結權貴，所以賈母和賈政都不大樂意這門親事，賈政更勸了哥哥幾次，無奈賈赦總是不聽。

寶玉遇見香菱，香菱說薛蟠要娶媳婦，又說對象是什麼樣的人，自己多麼希望早些娶過來等等。寶玉看她這麼天眞，心裡不禁為她擔心，娶過來的正室如果和氣、善良，香菱的日子自然好過，否則的話，就只有任人欺負的份了。香菱聽了寶玉擔心她的話，覺得寶玉故意諷刺她，所以氣呼呼地轉身就走，也不聽寶玉的解釋。寶玉見她這樣，便悵然如有所失，呆呆地站了半天，思前想後，不覺滴下淚來，只得無精打彩，回怡紅院來。一夜不曾安穩，睡夢之中猶喚晴雯，或魘魔驚怖，種種不寧。次日便懶進飲食，身體發燒。這都是近日抄檢大觀園、逐司棋、別迎春、悲晴雯等羞辱驚恐悲淒所導致，兼以風寒外感，故釀成一疾，臥床不起。寶玉生病，要保養百日，不能出門，只好和丫頭們玩。此期間內，聽得薛蟠已娶親入門，聽說這夏家小姐十分俊俏，也略通文翰，寶玉恨不得就過去一見才好。再過些時，又聽到迎春出嫁，寶玉思及當時姐妹們一處，耳鬢廝磨，從今一別，縱得相逢，也必不似先前那等親密了，眼前又不能去一望，眞令人淒惶之至。

薛蟠娶的名叫夏金桂。夏家跟薛家是老親，薛蟠上次出門的時候，順路去她們家，就看上她。夏金桂雖然長得漂亮，又念過一些書，性情卻驕傲凶悍，動不動就打罵丫鬟，對婆婆也不太尊敬，對丈夫也不客氣，對香菱尤其視作眼中釘，天天找碴兒，把整個家弄得雞犬不寧，但寶釵卻無隙可乘，因此金桂只好曲意俯就。

第八十回　美香菱屈受貪夫棒　王道士胡謅妒婦方

金桂知道香菱的名字是寶釵取的，所以故意把香菱的名字改成秋菱。薛蟠又看上金桂的丫頭寶蟾，金桂想借寶蟾來對付香菱。有一天，金桂故意出去，讓個空兒給薛蟠和寶蟾二人，薛蟠便拉拉扯扯起來，寶蟾心裡也知道八九了，也就半推半就。金桂然後叫香菱進去房間拿東西，香菱忙往屋裡來取，不防正遇見他二人推就之際，一頭撞了進去，自己倒羞得耳面通紅，忙轉身迴避不及，薛蟠自爲是過了明路的，除了金桂，無人可怕，所以連門也不掩。這會子香菱撞來，故雖不十分在意，無奈寶蟾素日最是說嘴要強的，今既遇見了香菱，便恨無地可入，忙推開薛蟠，一逕跑了，口內還恨怨不迭，說他強姦力逼。薛蟠好容易哄得要上手，卻被香菱打散，不免一腔的興頭，變作一腔的惡怒，都出在香菱身上。薛蟠再來找寶蟾，已無蹤跡了，於是只恨得罵香菱。至晚飯後，已吃得醺醺然，洗澡時，不防水略熱了些，燙了腳，便說香菱有意害他，赤條精光，趕著香菱踢打了兩下。此時金桂已經暗中和寶蟾說明，今夜令薛蟠在香菱房中和寶蟾成親，命香菱過來陪著自己睡，先是香菱不肯，金桂說她嫌自己髒，再必是圖安逸，怕夜裡服侍勞動，又罵香菱。香菱無奈，只得抱了鋪蓋來，金桂叫她在地下鋪著睡，香菱只得從命。

香菱剛睡下，金桂便叫香菱倒茶，又要捶腿等等，金桂一夜叫醒香菱好幾次，不讓香菱好好睡覺。那薛蟠得了寶蟾，如獲珍寶，一概都置之不顧。金桂雖然很生氣，但一面隱忍，一面設計擺佈香菱。半個月後，金桂忽然裝起病來，說是香菱害的，後來越鬧越大，自此以後，香菱跟隨寶釵去了。

此後金桂還又吵鬧了數次。薛蟠有時仗著酒膽，頂撞過兩三次，持棍欲打，那金桂便遞身叫打，這裡持刀欲殺時，便伸脖項。薛蟠也實在不能下手，只得亂上一陣罷了。如今已習慣成自然，反使金桂越發長了威風，又漸次尋趁寶蟾。

但寶蟾卻比不得香菱，正是個烈火乾柴，既和薛蟠情投意合，便把金桂放在腦外。近見金桂又作賤她，她便不肯低讓半點。先是一沖一衝的拌嘴，後來金桂氣急，甚至於罵，再至於打。她雖不敢還手，便也撒潑打滾，尋死覓活，晝則刀剪，夜則繩索，無所不鬧。薛蟠此時一身難以兩顧，惟徘徊觀望，十分鬧得沒法，便出門躲著。

迎春嫁給了孫紹祖，他根本就是好賭、好色、酗酒的紈褲子弟，對迎春一點也不愛護，迎春若勸他幾句，他就反過來羞辱她一頓，氣得迎春天天以淚洗面。王夫人聽迎春奶娘回來說了嫁後的情形，立刻派人去接迎春回來住幾天。寶玉看到迎春的情形，心中眞是難過極了。但邢夫人本來不在意迎春，也不問迎春的婚姻生活等。

第八十一回 占旺相四美釣游魚 奉嚴詞兩番入家塾

迎春回去後，寶玉跟王夫人說，把迎春接回來。王夫人遂教訓寶玉，寶玉聽了王夫人的話，也不敢頂嘴，就憋著一肚子的怨氣回到園裡，也不回怡紅院，直接來到瀟湘館。一進門就放聲大哭，嚇得黛玉也不知怎麼好，連忙問他。寶玉跟黛玉說了迎春的遭遇，黛玉聽了哭得眼睛紅紅的。

到了午後，寶玉睡了午覺起來，覺得無聊，一時走到藕香榭來，遠遠的只見幾個人在蓼溆一帶欄杆上靠著，有幾個小丫頭蹲在地下找東西。寶玉輕輕的走在假山背後聽著。探春、李紋、李綺、邢岫煙四個人正在釣魚，而寶玉也跟她們一起玩。正玩著，麝月慌慌張張的跑來說，賈母叫寶玉快去。

賈母見叫寶玉和鳳姐來，問他們前年害了邪病的病狀，然後告訴他們：原來他們的病是寶玉的乾媽馬道婆所做的。她是邪魔外道的，如今鬧破了，被錦衣府拿住送入刑部監，要問死罪的了。前幾天被人告發的。鳳姐突然想起他們病後，那馬道婆到趙姨娘處來過幾次，要向趙姨娘討銀子，見了鳳姐，便臉上變貌變色，兩眼黧雞似的。賈母等都大概猜到趙姨娘調唆馬道婆弄神作鬼的，但沒有證據只好罷了。

賈政看寶玉在園裡混著也不是事，決定還是送他到家塾中去讀書，寶玉只好從命。

第八十二回　老學究講義警頑心　病瀟湘痴魂驚惡夢

寶玉在賈政的威逼下，不得不再次入家塾讀書。然而放學後見到黛玉，以十分憎恨的態度評論他所讀的八股文章：「還提什麼唸書？我最厭這些道學話。更可笑的，是八股文章，拿他誆功名混飯吃也罷了，還要說代聖賢立言。」他把念書當作「熬日子」，內心十分厭惡。他把八股時文看成騙取功名的工具，加以無情的嘲笑和諷刺。但是黛玉卻說：「內中也有近情近理的，也有清微淡遠的。那時候雖不大懂，也覺得好，不可一概抹倒。況且你要取功名，這個也清貴些。」這些話使一向和她情投意合的寶玉，也「覺得不甚入耳」，甚至想道：「黛玉從來不是這樣的人，怎麼也這樣勢欲薰心起來？」又不敢在她跟前駁回，只在鼻子眼裏笑了一聲。

寶玉去上學後，怡紅院就清靜多了，襲人趁機做點兒活計。繡著荷包，想起死去的晴雯，不免傷心。想到自己，不過是和晴雯一樣的丫鬟，雖說王夫人已暗許給寶玉作偏房，將來只怕他娶個厲害的正配，自己保不住也是尤二姐、香菱的下場。聽賈母等平常的話來，猜著寶玉娶的必是黛玉，便放下針線，到瀟湘館來探口風。黛玉正在看書，欠身讓襲人坐下。正說話時，薛家一個老婆子來給黛玉送東西。進屋裡請了安，見黛玉病西施似的坐在那兒，站在地上迷瞪瞪地只顧瞧看。黛玉問話，她才醒過神來說黛玉和寶玉才是一對。黛玉聽她言語冒失，心裡雖然氣她胡說，但因爲是寶釵派她來的，也不好說什麼，只好趕緊打發她走。

黛玉本自多愁善感，到了晚上，看見架子上那婆子拿來的荔枝，想到那婆子的一番話，又觸動了她許多心事。想到自己父母雙亡，多少話無處傾訴，雖然和寶玉相互愛慕，賈母和王夫人還不給做主，有情人也難成眷屬。不禁掉了幾滴淚，越想越煩，連衣服也懶得換，就躺了下來。不知不覺間，忽然一個丫鬟報信說，賈雨村來了，說是要道什麼喜，後面南京還有人來接黛玉。一會兒鳳姐、邢夫人、王夫人和寶釵她們也都來了，說是黛玉的父親升了官，又給她娶了個繼母，因惦記她尚未婚配，要把她嫁給繼母的一個親戚做續弦夫人，因此派人來接。這邊賈母也派了賈璉護送，請黛玉馬上動身，黛玉一聽，跪著哭求賈母將她留下，賈母鐵著臉不應，黛玉心灰意冷，只求最後見寶玉一面。正想著，寶玉來了，站在她面前，笑嘻嘻地跟她道喜。黛玉一聽更急了，把寶玉緊緊拉住，寶玉又說黛玉原是許配自己，黛玉一聽，恍惚間又像曾和寶玉訂過親。寶玉看黛玉著急，拿起一把刀子就往胸口上割，只見鮮血直流，黛玉嚇得魂飛魄散，連忙用手捂住寶玉的胸口。寶玉偏要拔開傷口去亂抓，黛玉害怕得抱著他痛哭。寶玉說自己的心沒了，說完，兩眼一翻，咕咚一聲就倒了。黛玉於是放聲大哭，忽然聽見紫鵑叫她，黛玉一驚，醒了，原來做了一場惡夢。

黛玉出了一身汗，淚水已經打濕了枕頭。回想夢中情景，喉間猶是哽咽。又哭了一回，遍身微微的出了一點兒汗，掙扎起來，把外罩大襖脫了，叫紫鵑蓋好了被窩，又躺下去。翻來覆去，哪裏睡得著。不久紫鵑睡著了，黛玉朦朦朧朧地熬到天亮，竟大咳嗽了起來，紫鵑被她咳醒，急忙捧來痰盒。紫鵑把痰盒拿出去清理時，卻見痰中有許多血絲，紫鵑著急地走回來，正想叫雪雁去找人來看看，恰好探春和湘雲的丫鬟來了，接著探春和湘雲聽了小丫鬟的話，馬上過來看黛玉。湘雲不小心說出黛玉的痰中有血。黛玉剛才咳得昏沉沉的，吐了也沒細看，此時見湘雲這麼說，回頭看時，自己早已灰了一半。探春見湘雲冒失，連忙解說。

第八十三回　省宮闈賈元妃染恙　鬧閨閫薛寶釵吞聲

探春和湘雲才要走時，忽聽窗外老婆子罵小丫鬟，但黛玉聽見窗外老婆子這樣罵著，覺得竟像專罵著自己的。自思一個千金小姐，只因沒了父母，不知何人指使這老婆子來這般辱罵，那裏委屈得來，因此肝腸崩裂，哭暈過去了。探春會意，開門出去罵老婆子。

正當瀟湘館黛玉做惡夢時，怡紅院寶玉也沒睡安穩，在床上一個勁兒地嚷心疼，說是好像讓刀子把心割了去，胡喊亂叫地折騰了半夜，襲人等早告訴賈母。探春和湘雲也一起來到賈母這邊，把黛玉的情形跟賈母說了。賈母聽說寶玉、黛玉多災多病的，心很煩，讓人告訴賈璉快去請大夫。寶玉本來就沒什麼大事，隨便給開了點藥，吃了就好。診到黛玉，大夫一號脈，發現病得不輕。仔細看了半天，小心開了藥方，讓先吃兩劑試試。

黛玉有病，紫鵑託周瑞家的向鳳姐支用一兩月的月錢，鳳姐說現如今「出的多，進的少，總繞不過彎來」。周瑞家的說，外邊人說賈府多有錢，並說外邊還有歌，就說出歌謠，但面對鳳姐，未說出「總是一場空」這一句。

賈赦聽說宮裡剛剛下令請了太醫院醫術高超的御醫進宮，想著一定是哪個后妃娘娘病了，擔心是不是元春病了，故叫賈璉去探聽消息。中午，賈璉派去探信兒的人還沒回來，就有兩個太監來到賈府，告知元春生病。第二天一早起來，賈母和王夫人特別進宮去探病。元妃和賈母她們說了幾句家常話，又問了寶玉的近況，聽說他讀書作文頗有長進，略覺寬慰。

薛家夏金桂趕了薛蟠出去，日間拌嘴沒有對頭，香菱又住到寶釵那邊去了，只剩得寶蟾一人同住。既給與薛蟠作妾，寶蟾的意氣又不比從前了。金桂看去更是一個對頭，自己也後悔。有一天，金桂喝了酒，跟寶蟾吵起來，寶蟾半點兒不讓。薛姨媽在寶釵房中聽見金桂她們吵嚷，自己扶了丫頭，往金桂這邊來。寶釵只得也跟著過去，又囑咐香菱不要跟來。金桂不把薛姨媽和寶釵放在眼裡，對薛姨媽、寶釵母女大呼小喝地撒野。薛姨媽一時因被金桂氣慪得肝氣上逆，左肋作痛，便向炕上躺下。寶釵、香菱二人嚇得手足無措。

第八十四回 試文字寶玉始提親 探驚風賈環重結怨

幾天後，元春病癒，賈家皆大歡喜。這天寶玉上學去後，一家人坐著敘話。賈母跟賈政提起元春詢問寶玉學業的事，之後還提起寶玉的婚事。第二天，寶玉放學後，賈政特別考問他的功課，看寶玉對答如流，新近幾篇文章也做得不錯，心裡也覺得高興。寶玉走後，在座的賓客都極力誇獎他，賈政順口說到寶玉的親事，立刻有個客人提起一位張家的姑娘，正在物色對象，還是邢夫人的親戚。當晚，賈政就把這件事告訴王夫人。第二天，王夫人就對賈母和邢夫人提起此事。但賈母聽邢夫人說張家要女婿入贅他家，就反對這門親事。

賈母聽說巧姐病得不輕，早飯後便攜邢夫人、王夫人一同到鳳姐這兒來看望。鳳姐便想撮合寶玉和寶釵，所以在賈母的面前以「金玉良緣」做藉口，進言獻計，十分熱心。見賈母贊成這門親事，她非常高興。送走賈母她們，巧姐的病也穩住了。鳳姐正得意，賈環撞了進來，嘴上說他娘讓他來看巧姐，賊頭賊腦地卻四處找牛黃，一下子打翻了煎藥鍋，藥湯將火掛滅一半。鳳姐的興致也隨著那煙氣一散而盡，從此與趙姨娘母子的仇更深了。

第八十五回　賈存周報陞郎中任　薛文起復惹放流刑

過了兩天，鳳姐果然陪王夫人去向薛姨媽提親，薛姨媽自然是滿心願意，但因爲薛蟠又出門做生意去了，要等他回來再和他商量。

有一天北靜王的生日，賈赦帶賈珍、賈璉、寶玉去給北靜王拜壽。北靜王看到寶玉，很高興地只留下寶玉說話，又賞了坐。他又告訴寶玉賈政被推薦的事，還送給寶玉按照寶玉的通靈玉仿做的玉。寶玉回家後，回報去北靜王拜壽的事，還說前幾天通靈玉發光的事。賈母等說這是喜事，卻不告訴寶玉到底什麼事。但襲人聽寶玉所說的話，就知道這是賈母給寶玉提親。襲人怕寶玉知道後有什麼樣的反應，故假裝不知道。然後第二天襲人去找紫鵑想打聽親事，但黛玉平日疑心很重，所以襲人不敢問，只好回怡紅院。

賈政高升郎中，擺酒請戲慶賀。這天賈府裡男女老少，加上送禮賀喜的親朋好友，裡外擺下十幾桌，賓朋主僕吃酒賞戲，好不熱鬧。薛姨媽帶著薛蝌、寶琴也來賀喜。恰又是黛玉的生日，眞是喜上加喜。正熱鬧著，薛家的僕人滿頭大汗闖進來，請薛姨媽他們快快回去。薛姨媽嚇得面如土色，急忙起身。薛姨媽聽說是薛蟠在外頭又打死人，被官府抓了，慌慌張張地，就馬上命薛蝌趕去，想辦法爲薛蟠脫罪。

第八十六回　受私賄老官翻舊牘　寄閒情淑女解琴書

薛蟠被金桂氣得離家出走後，打算約人同去南方做買賣。這天正去城南找朋友吳良，路上碰見老友蔣玉函，二人到一家鋪子裡喝酒。因那跑堂的張三看蔣玉函生得風流俊俏，不免多瞧了幾眼，薛蟠氣不忿，第二天又請吳良到這個鋪子喝酒，故意找碴刁難跑堂的。那跑堂的換酒慢了，薛蟠破口大罵。那人回了兩句話，薛蟠端起酒碗就要打。偏偏薛蟠遇上了不怕死的，張三伸過頭來叫薛蟠砸。誰知薛蟠真的砸下去，一下子就要了張三的命。因此薛蝌上下奔走行賄，總算買通了衙役，可使他少受點皮肉之苦，卻難免死罪。薛蝌又忙派人給薛姨媽送信，薛姨媽趕緊去賈府求賈政，賈政讓賈璉打點，薛家花了幾千兩銀子才買通了知縣。衙門裡裡外外都收買了，知縣便升堂審案，把故意打死的說成失手誤傷，把初審的口供全翻了，將薛蟠監禁，聽後處理。薛家上下卻皆大歡喜，多多預備了銀兩，只待批文下來，恰好周貴妃死了，沒辦法處理公事，因此薛蝌先回家向薛姨媽報告。

黛玉信手從書架上拿了一套琴譜來看。她本是個心靈的人，小時在家裡曾學過撫琴，隨意一翻，竟招來了興趣，認真讀了起來。正在揣摩那書上的琴理手法，寶玉跑來看她。

寶玉原以爲撫琴是十分高雅的事，琴理深奧，可望而不可及。聽說黛玉不僅懂琴理，而且還會撫琴，十分高興，埋怨黛玉不早告訴他。他又請她給講了一通琴理，樂得寶玉手舞足蹈。紫鵑一旁聽他們倆談得熱鬧，看看時候不早，怕黛玉過於勞累，便過來和寶玉說了，寶玉應著趕忙起身告辭。

寶玉剛出屋門，王夫人就派秋紋送來一小盆蘭花。黛玉見那花中有幾枝雙朵的，心中忽然一動，也不知是喜是悲，竟又暗自落下淚來。紫鵑看著著急，正不知怎麼勸解，剛巧寶釵打發人來。

第八十七回　感秋聲撫琴悲往事　坐禪寂走火入邪魔

寶釵給黛玉寫了封信來，黛玉拆開一看，原來是寶釵懷戀當時海棠詩社姐妹們清秋時節食蟹飲酒賞菊的美好時光，感嘆韶華易逝、家遭不幸而寫成的四章歌賦。黛玉看完，自然免不了再勾起些傷感。此時探春、湘雲、李紋、李綺來看她。湘雲說起南邊的話，引起黛玉對故鄉的思念，對父母的思戀，又嘆息自己身世淒涼。黛玉將寶釵的詩又看了兩遍，心想，雖然跟寶釵境遇不同，但是傷心則一。便讓雪雁將筆硯拿來，揮毫也寫成四章，並按琴譜上現成的樂調譜上韻，準備給寶釵寄去。寫畢又讓雪雁把她從家裡帶來的短琴找出來，調好弦，溫習一下指法，一直撫到深夜。

且說寶玉聽說書房裡放假，他惦記著聽琴的事，便早早跑來找黛玉，不巧她正休息。寶玉忽然想到幾天沒看到惜春了，就跑去找惜春。恰好遇見妙玉也在那兒正和惜春下棋，三人聊了一會兒，寶玉送妙玉回櫳翠庵，經過瀟湘館外，突然聽到黛玉的琴聲。兩人便在瀟湘館外坐了下來側耳傾聽。剛聽還覺得音調清越，可是漸漸的，曲調越來越悲涼，其聲可裂金石，妙玉陡然失色，忙說「太過」，寶玉不解，便問：「太過便怎樣？」妙玉答：「恐不能持久。」正說著，只聽「蹦」的一聲，弦斷了。妙玉起身便走，也不告訴寶玉爲什麼。弄得寶玉興致全無，在那兒呆呆地站了一會兒，垂頭喪氣地回怡紅院了。

妙玉急慌慌回櫳翠庵來，吃晚飯後，點香拜了菩薩，請別人先去休息，她自己在禪床上盤腿打坐。坐到三更前後，聽見房上骨碌碌地響，妙玉以爲有賊，起身到外邊去看，卻空無一人，只見雲影橫空，月華如水。那時天氣尙不很涼，獨自一個，憑欄站了一回，忽聽房上兩個貓兒一遞一聲叫。妙玉忽想起白天寶玉說她「下凡」的話，不知怎麼一陣臉紅心跳，自己連忙收攝心神，重新回到禪床上，接著打坐。不但不能入靜，一會兒倒覺得禪床晃晃悠悠地飄起來，自己隨著來到庵外，就見有許多王孫公子，要來娶她，還有幾個媒婆拉拉扯扯逼著她上車，自己不肯去。一會兒又見一群強盜拿著刀槍棍棒來搶她，她不肯走，嚇得哭喊求救。哭喊聲驚醒了熟睡中的女尼道婆等，她們都起床跑來了。只見妙玉眼睛直豎，兩顴鮮紅，還在罵著強盜。大家忙過來又推又叫，妙玉一時還沒醒過來。大家無奈，只好向觀音菩薩禱告求籤，又打發人請來了大夫，診斷後說是走火入魔，因心火太盛引起的。妙玉吃了一劑藥，才總算好了些。

這事傳到了外邊，一些不三不四的人就造謠說，妙玉美貌風流，不是能獨守青燈的人，早晚不定要跟誰跑了。惜春聽說妙玉中邪，便寫出偈語來，寫完命丫頭焚香。靜坐了一回，又翻開棋譜來看了幾篇。

第八十八回　博庭歡寶玉讚孤兒　正家法賈珍鞭悍僕

賈母明年就是八十一歲，爲消災解難，求福避禍，賈母讓家裡的太太小姐們替她抄寫三百六十五部《金剛經》，好拜菩薩。賈府裡除了鳳姐，所有會寫字的女子都給分了些篇目。

賈母與李紈打雙陸，此時寶玉手中提了兩個細蔑絲的小籠子進來，籠內有幾個蟈蟈兒，寶玉聽說賈母晚上睡不著，因把蟈蟈兒給賈母留下解解悶。賈母教訓寶玉太淘氣。寶玉說這蟈蟈兒是因爲前天師父叫賈環和賈蘭作對子，而環兒對不來，寶玉悄悄地告訴了他。因老師喜歡這對子，又誇他，他感激寶玉，才買來送給寶玉的。賈母罵賈環沒出息，求人替做了，就變著法兒打點人。又問賈蘭是否自己作對子。賈母聽賈蘭自己作對子，很高興，因看著李紈，又想起賈珠來，不禁淚下。李紈也動心，只是賈母已經傷心，自己連忙忍住淚，笑勸賈母。

賈珍正在休息，聽見門上鬧得翻江攪海，叫人去查問，回來說，鮑二和周瑞的乾兒子何三打架。何三聽見鮑二和周瑞拌嘴，就跟鮑二打起架來。賈珍很生氣，叫人把周瑞、鮑二、何三帶來。周瑞、鮑二家這些奴僕，竟敢在主子賈珍面前互相告狀，賈璉把周瑞踢了幾腳，又喝命把鮑二和何三各人打了五十鞭子，攆了出去。結果引起下人背地裡說他許多壞話。

自從賈政升了郎中，在工部掌了大權，賈氏家族裡少不了沾光發財的人。賈芸有意去攀附，卻又不能自薦，於是帶了禮物來求鳳姐。鳳姐雖然愛財，但也自知衙門裡的事和府裡不一樣，而且賈芸也不值得去為他碰釘子。於是三言兩語把賈芸打發走，禮物也讓他原封拿了回去。

平兒跟鳳姐說水月庵師父打發人來要向鳳姐討小菜。原來四五天前，水月庵裡有幾個小尼姑晚上睡覺沒熄燈，有一個師父說了幾次沒人聽。直到三更以後她們都睡熟了，燈還點著，那師父只好自己親自起來吹滅了燈。回到炕上，見有一男一女坐在炕上，嚇了她一大跳，忙問是誰，那兩人也不說話，拿根繩子往她脖子上一套，她急忙喊人。眾人聽見，點上燈火，一起趕來，那師父已經躺在地下，滿口吐白沫子。幸虧大家及時趕到，把她救活過來，只是還不能吃東西，所以想起來跟府裡要些小菜兒的。此時突然聽見一個小丫頭連喊帶叫地跑到院子裡，小丫頭說她聽見鬼話。鳳姐聽完，大罵小丫頭。

鳳姐其實色厲內荏，這晚賈璉城外有事沒回來，她自己躺在床上，天近三更還沒能睡著。白天小丫頭說的話她嘴上說不信，其實內心裡不免犯嘀咕。她只覺得毛骨悚然，躺在床上渾身發滲，於是叫平兒、秋桐過來做伴。

第八十九回 人亡物在公子填詞 蛇影杯弓顰卿絕粒

這年秋天，河南遭受洪澇災害，賈政在衙門裡一天比一天忙起來，因寶玉的功課也漸漸鬆了，只是怕賈政覺察出來，不敢不常在學房裏去念書，連黛玉處也不敢常去。

寶玉上學去時，襲人怕他凍著，包了一件大衣讓焙茗拿著，以備再冷時穿。到書房以後，天氣忽然變冷，焙茗拿著那件大衣給寶玉送進來。寶玉一看，兩眼一下子直了。愣了半天，才醒過神來，沒好氣地問焙茗怎麼拿這件衣服。焙茗不知道，這件大衣原來是晴雯帶病給寶玉補的那件雀金裘。寶玉睹物思人，自然想起了晴雯，感到人亡物在之痛，不肯穿這件大衣。焙茗卻怕凍壞了寶玉擔不起責任，苦苦哀求，他才穿上。放學時，寶玉向老師請了一天病假。回到怡紅院，往床上一躺，誰也不理。襲人看他不高興，又見穿著晴雯補的大衣，心裡便猜著了八九分，便勸他換衣服。寶玉起身脫下大衣，親自疊好、包好，讓襲人給放起來，晚飯也不吃，就上床睡了。

第二天吩咐襲人叫人收拾一間空房間，放上一爐香，擺好筆墨紙硯，說要靜坐半天，不許人打攪。恰好房間就是晴雯原來住的那間，正對寶玉的心思。他親自點起一炷香，點燃蠟燭，擺上水果，讓人都出去，關起門來。閉目合掌先禱告了幾句，接著便提起筆來寫詞，寄託對晴雯早逝的哀思，抒發自己的思念懷戀之情。寫畢，虔誠地在香上點著焚化了，靜靜地等著一炷香燃盡，才開門出來。

寶玉來到瀟湘館，見黛玉把經文抄寫得認眞，也不便打攪，自己在屋裡東瞧瞧，西看看。寶玉很關切地說「不彈也罷了。我想琴雖是清高之品，卻不是好東西，從沒有琴裏彈出富貴壽考來的，只有彈出幽思怨亂來的。」黛玉聽他嘮叨中充滿了關懷體貼之情，在一旁看著他抿著嘴笑。寶玉說著說著，就扯到了那天聽琴的事上。問黛玉末尾那章最後爲什麼突然轉成了仄韻。黛玉說：「這是人心自然之音，做到那裏就到那裏，原沒有一定的」。寶玉說：「可惜我不知音，枉聽了一會子！」黛玉道：「古來知音人能有幾個？」寶玉一聽，知道自己又說錯了話，怕黛玉傷心，又不好解釋，欲言又止。黛玉那話其實也是順口說的，並無他意，看寶玉無話，她也不好再說什麼。兩人坐了一會兒，寶玉說要去看探春，就起身告辭了。

黛玉送走寶玉，想起他吞吞吐吐的樣子，心裡納悶，便斜歪在床上想心事，卻聽見雪雁跟紫鵑說寶玉已經跟什麼知府家的小姐定親。從此以後，黛玉故意糟蹋自己的身體，整天鬱鬱寡歡，淚水漣漣，飯吃得一天比一天少。寶玉、紫鵑等都不敢勸，請醫吃藥也不管用。到半月之後，憔悴得已不成人樣，連粥都不能吃了。黛玉日間聽見人們說的好像都是寶玉娶親的話，索性不要人來看望，也不肯吃藥，只求速死。

第九十回 失綿衣貧女耐嗷嘈 送果品小郎驚叵測

黛玉整天不吃不喝，眼看不省人事，沒什麼指望了。紫鵑守在床前掉了一會兒淚，囑咐雪雁好好守著黛玉，她去給賈母報信兒。紫鵑去後不久，侍書奉探春之命來看黛玉，雪雁以爲黛玉已經人事不知了，就直接在屋裡跟侍書說話。黛玉似睡非睡，昏昏沈沈地躺在床上，但聽到侍書說，寶玉的事不過是捕風捉影，又聽說賈母要親上加親，而且是住在園子裡的，心想不是自己又是誰呢？頓時覺得心裡一爽，又恢復了幾分精神。

賈母、王夫人、李紈、鳳姐聽到紫鵑報信，以爲黛玉不行了，都急急慌慌地來看。侍書走時，她們正好進來。瞧瞧黛玉，雖面黃肌瘦、有氣無力的，但精神還好，神智清醒，還能勉強說一兩句話，哪像要死的樣子。鳳姐便埋怨紫鵑大驚小怪。賈母見黛玉病得奇怪，好得也奇怪，心裡略猜著了八九分，既生了反感，並且提高了警覺。回到自己的房間，對王夫人、鳳姐說，黛玉性情乖僻，又體弱多病，人雖然長得好，但恐怕不是個有福氣的，不如寶釵配寶玉更合適。然後又吩咐，趕快給他們分別進行婚嫁，先辦寶玉的婚事，再給黛玉辦喜事。還吩咐屋裡的丫鬟們不許說出寶玉定親的話。

賈母和王夫人、鳳姐暗定了寶玉的親事，還不放心，吩咐鳳姐今後多到大觀園裡轉轉，監視著那些姑娘小姐們，對園裡的丫頭婆子們，也要管緊點，立立規矩。鳳姐聽了賈母的話之後，經常到園裡查看。有一天鳳姐到大觀園查看，突然聽見一個看園的老婆子撒潑罵街，鳳姐正想找個人開刀，便走過去。原來早上岫煙的一件東西不見了，伺候岫煙的丫頭見那婆子昨天帶孩子來玩過，就隨便問了她幾句，誰知那婆子一下子翻了臉。鳳姐罵那婆子，趕走她，然後進到岫煙的屋裡坐下，跟岫煙聊上了。鳳姐把岫煙上下打量一番，見她身上雖也穿著幾件皮的棉的衣服，只是都半新不舊了，不太暖和。再看他床上的被褥，也都很單薄。鳳姐不禁憐惜她，回到屋裡，叫平兒找衣服，包好了叫小丫頭豐兒給送去。岫煙雖窮卻是個有志氣的人，說什麼也不肯收，讓豐兒又拿了回來，反倒賞給豐兒一個荷包。鳳姐又讓平兒和豐兒一塊兒去送，岫煙只好紅著臉道了謝，勉強收下了。

平兒回來鳳姐那兒，碰見薛家差來的一個婆子，告訴那婆子岫煙的事情。薛家的人知道這件事，薛姨媽、寶釵心疼，還跟薛蝌說早點把岫煙娶回來。薛蝌回到房間，想起岫煙住在賈府寄人籬下的處境，寫出一首詩來解悶。此時，見寶蟾推門進來，拿著一個盒子，笑嘻嘻放在桌上。寶蟾說，金桂爲薛蟠的事要道謝，就把果子和酒給薛蝌。薛蝌原本以爲金桂眞的爲薛蟠的事才送給他，但是看到寶蟾鬼鬼祟祟，不禁起了疑心。

第九十一回　縱淫心寶蟾工設計　布疑陣寶玉妄談禪

薛蝌正在懷疑金桂的意思，忽然聽到窗外有人的笑聲，嚇了一跳。他認爲不是寶蟾，就是金桂，只不理她們，看她們有什麼法兒。聽了半日，卻又寂然無聲。自己也不敢吃那酒果，掩上房門，剛要脫衣時，只聽見窗紙上微微一響。薛蝌此時被寶蟾鬼混了一陣，心中七上八下，竟不知如何是好，聽見窗紙微響，細看時又無動靜，自己反倒疑心起來，掩了懷，坐在燈前，呆呆的細想，回頭看見窗上的紙濕了一塊。他走過來覷著眼看時，冷不防外面往裏一吹，把薛蝌唬了一大跳，聽得「吱吱」的笑聲，薛蝌忙把燈吹滅了，屛息而臥。只聽見外面寶蟾的聲音，薛蝌只不作聲裝睡。第二天，寶蟾尙未梳洗，恐怕人見，趕早來取盤子。寶蟾不說話，只管把果子折在一個碟子裏，端著就走。薛蟠見她這般，知道是昨晚的原故，覺得倒是她們惱了，索性死了心，也省了來纏。於是才放了心。

原來金桂與寶蟾想到薛蟠難以回家，正要尋個路頭兒，因而對薛蝌打主意。從此，金桂一心想怎麼勾引薛蝌，沒有心情胡鬧，因此薛家便安靜多了。薛姨媽看金桂幾天安靜，又待人忽然親熱起來，以爲金桂變好，十分高興。有一天薛姨媽到金桂房裏瞧瞧。

走到院中，只聽一個男人和金桂說話。金桂跟薛姨媽解釋他是自己過繼兄弟夏三。金桂叫夏三出來見了薛姨媽，作了個揖，問了好。薛姨媽也問了好，坐下敘起話來，一會兒就回去。從此夏三往來不絕，雖有個年老的門上人，知是舅爺，也不常回。

薛蟠的案子，原以爲給縣裏和府裏都送了禮，肯定沒問題了，不想府上邊的道裏沒拉關係，府裏按昏縣官判的報上去，道裏發現判得不公，駁回了縣裏，縣裏頂著又報上去。道爺一看火了，要提出薛蟠親自審訊。薛蟠怕提上去吃苦受罪，急忙派人給家裡報信，要薛姨媽火速託人給道爺說情送禮，晚了就要押到道裏去。薛家看了信，一片混亂。薛姨媽急得直哭，薛蝌勸了兩句，急忙收拾行李，備足了銀錢，又到薛蟠那兒去了。此時，寶釵跑來跑去照應著，一直折騰到後半夜。第二天，寶釵發燒，話也不說，水也不喝。賈府的人聽著寶釵生病的消息，鳳姐、王夫人忙派人送來了藥，賈母、邢夫人、尤氏等都派丫頭去問候，卻都瞞著寶玉。寶玉後來到底還是聽說了，請示賈母、賈政、王夫人，誰都不准他去看。寶玉不知他們不讓他探視是什麼原因，以爲只是嫌自己多事，過了兩天又聽說寶釵已經好了，也就不大在意了。

這天王夫人和賈政說了薛蟠的事，請他給幫幫忙，又提起寶釵，王夫人說該早點把她娶過來，免得她在薛家總操心勞神的把身體累壞了。賈政也是這樣想，但他說現在快到年底，兩家事情都很多，不如來年春天，等過了賈母的生日再辦喜事。第二天，王夫人把賈政的意思對薛姨媽說了，兩人又一塊兒去和賈母說了，賈母甚喜。正談這事，寶玉來了，大家都閉嘴不說。寶玉看薛姨媽不像以前那麼親熱，以爲薛姨媽嫌他沒去看寶釵。晚上放學回來就去找黛玉，先訴了一通委屈，又僥倖地說，寶姐姐最體諒他，可能不計較。黛玉其實明白寶玉對寶釵不過是一般姐弟情誼，但她還是想試探寶玉的眞心，便用禪語來問，寶玉也用禪語來回答。兩人正說著，聽簷外一隻烏鴉「呱呱」叫了幾聲，便飛向東南上去。寶玉想，不知有何吉凶之事將要發生。

第九十二回　評女傳巧姐慕賢良　玩母珠賈政參聚散

賈母請大家辦消寒會，只有寶釵和岫煙沒來。寶玉親自向巧姐津津樂道地講那些烈女的故事。巧姐跟寶玉說鳳姐想要叫五兒補入小紅的窩兒，寶玉聽了高興得不得了。因柳五兒本要進怡紅院，頭一次是她病了，不能進來；第二次王夫人攆了晴雯，大凡有些姿色的，都不敢挑；後來又到吳貴家看晴雯去，五兒跟著她媽給晴雯送東西去，見了一面，更覺嬌娜嫵媚。

自從司棋被攆出去，終日啼哭。忽然有一天，畏罪潛逃的表兄居然回來預備娶她了，但司棋的媽媽見了他，恨得什麼兒似的，說他害了司棋，不肯答應。司棋說道：「一個女人嫁一個男人。我一時失腳，上了他的當，我就是他的人了，決不肯再跟著別人的。我只恨他爲什麼這麼膽小！一身作事一身當，爲什麼脫逃了呢？就是他一輩子不來，我也一輩子不嫁人的。媽要給我配人，我原拚著一死。今兒他來了，媽問他怎麼樣。要是他不改心，我在媽跟前磕了頭，只當是我死了，他到那裏，我跟到那裏，就是討飯吃也是願意的。」她媽氣得了不得，便哭著罵司棋，司棋突然一頭撞在墻上，把腦袋撞破，鮮血傾流而出，竟死了。司棋的表兄叫人抬了兩口棺材來，司棋的母親看見詫異，司棋的母親又見他外甥哭也不哭，只當是他心疼得傻了。豈知他忙著把司棋收拾了，也不啼哭，眼錯不見，把帶的小刀子往脖子裏一抹，也就死了。因此司棋的媽媽來向鳳姐回報，鳳姐給他們銀子，讓他們辦後事。

這天，賈政正與詹光下棋，見馮紫英進來。馮紫英帶兩件洋貨來給賈政看，問他要不要買，賈政叫賈璉把這兩件東西送到賈母那邊去，並叫人請了邢王二夫人、鳳姐兒都來瞧著，又把兩件東西一一試過。但賈府最近沒有多餘的銀錢，因而買不起，遂跟馮紫英說不要。賈政和馮紫英說賈雨村升官的事以及甄家被抄的事情。

第九十三回　甄家僕投靠賈家門　水月庵掀翻風月案

臨安伯派人來請喝酒，但賈政在衙門有事，賈璉也要在家等候拿收租子車的事情，因而賈赦帶了寶玉去。在臨安伯家那兒寶玉遇見蔣玉函，寶玉聽其他人說蔣玉函家裏已經有兩三個鋪子，他又說人生婚配，關係一生一世的事，不是混鬧得的，不論尊卑貴賤，總要配得上他的才能，所以到如今還並沒娶親。寶玉心想：「不知日後誰家的女孩兒嫁他？要嫁著這麼樣的人才兒，也算是不辜負了。」

甄府的僕役包勇帶著甄家的推薦書來投靠賈府。賈政不好意思拒絕，叫人帶包勇來。賈政把他上下一瞧，見包勇身長五尺有零，肩背寬肥，濃眉爆眼，闊額長髯，氣色粗黑，垂著手站著。他便問甄家的事情和甄寶玉的事情。

一天上午，賈政剛要出門，見幾個看門的在一塊兒交頭接耳，看見他也不迴避。賈政覺得奇怪，叫他們過來問，他們才遞上來一張紙，說是貼在外面的，有人發現揭了下來，早上他們開門時門上也貼了一張，已經給刷了。賈政接過來一看，只見上面寫著一首詩，寫的是賈芹在水月庵胡鬧。賈政當下氣得火冒三丈，一面叫人趕緊去寧榮兩府附近看看還有沒有這種詩，一面派人快去叫賈璉來。賈璉剛來，賈蓉也走來，拿著一封寫著「二老爺密啓」的信交給賈政。賈政打開一看，也是無頭榜一張，與門上所貼的話相同，他立刻叫賴大帶了三四輛車到水月庵裏去，把那些女尼姑女道士一齊拉回來，不許泄漏，只說裏頭傳喚。賴大領命去了，賈政氣得衙門也不去了，獨坐在書房裡嘆氣，賈璉也不敢走開。有個看門的進來報告說，衙門裏今夜該班的張老爺生病了，請賈政去補一班。賈政正等賴大回來要辦賈芹，此時又要該班，心裏納悶，也不言語。賈璉走上去勸他先去，賴大來了，先把那些尼姑、道士押著，也別聲張，等明天賈政回來再處理。倘或賈芹來了，也不用說明，看他明天見了賈政怎麼說。賈政聽來有道理，只得上班去了，賈璉抽空回到自己房中，一面走著，心裏抱怨鳳姐讓賈芹去管水月庵。賈璉想要埋怨鳳姐，因她病著，只得隱忍。

這天賈芹來給水月庵裡送伙食費，給大家發完後，便擺了酒席，跟尼姑們喝酒。賴大見這裡亂七八糟的樣子，心裏大怒，但想賈政吩咐過不許聲張，只好強壓怒氣，和賈芹打了招呼，然後命令尼姑、道士們收拾東西，上車進城。這些人不知眞情，只好都坐上車子。賴大到了賈府，把賈芹帶進書房，賈璉先拉著臉訓斥一通，賈芹跪在地上磕頭求饒。賈璉想：賈政最討厭這種事，如果鬧出去，名聲也不好，反長了那個寫詩的人的志氣。不如趁賈政上班，跟賴大商量一下，都說沒這事，瞞過賈政就行了。於是賈璉叫進賴大來商量，就讓賴大把賈芹帶走了。

第九十四回 宴海棠賈母賞花妖 失寶玉通靈知奇禍

第二天，賈政公事拖著不能回家，便叫人告訴讓賈璉處理水月庵的事。賈璉先替賈芹喜歡，又想若辦得太草率，賈政發現了倒不好交代，不如去請示王夫人，就是辦得不合賈政的意思，他也不擔責任。因此賈璉去跟王夫人說，但只說有人寫詩罵賈芹和尼姑道士們，並不說罵的是不是實情，王夫人一向覺得這種事都怨女的，也不問青紅皂白，讓把那些女孩子都送回老家去。至於賈芹，並不深究，只讓賈璉狠狠地教訓他，又讓他以後除了祭祀喜慶，不用到賈府來，以後躲著賈政就是了。

以前賈芸爲巴結寶玉，曾送他幾株珍奇海棠，晴雯死的那年，這花突然枯萎了，也沒人去澆灌它。昨天寶玉走去瞧，見枝頭上好像有了蓇朶兒似的，告訴別人，人們都不信。忽然今天開出很好的海棠花，衆人詫異，都爭著去看，連賈母都驚動了，讓邢夫人、王夫人一群人來瞧海棠。李紈、探春、惜春、岫煙也都過來湊熱鬧。黛玉聽說賈母來，也急忙帶紫鵑過來陪著。大家你一言我一語，都說這花開得奇怪。賈母和王夫人認爲這花開得不奇怪，但邢夫人還是忍不住說不祥之兆。李紈忙說肯定是寶玉快有喜事了，這花先來報信。探春也認爲認爲必非好兆，而黛玉爲了討賈母的歡心，卻講了一個田家荊樹榮枯的故事，並說如今二哥哥認眞念書，舅舅歡喜，那棵樹也發了，致使賈母、王夫人聽了歡喜。正說著，賈赦、賈政、賈環、賈蘭都來看花。賈赦說肯定是花妖作怪，因主張把它砍了。賈政說：「『見怪不怪，其怪自敗。』不用砍它，隨它去就是了。」賈母聽見他們倆的話，生氣地呵斥，賈赦、賈政討了個沒趣，誰也不敢說什麼，灰溜溜地走了。但賈母興致不減，叫人傳話到廚房裡預備酒席，大家飲酒賞花。並讓寶玉、賈環、賈蘭各作一首詩。直到玩累了，賈母才讓丫鬟扶她回去。正要起身，平兒迎面過來說，鳳姐有兩匹兩疋紅緞送給寶玉包裹這花，當作賀禮。等賈母那一群人都走了，平兒才悄悄地對襲人說：「奶奶說，這花兒開的怪，叫你鉸塊紅紬子掛掛，就應在喜事上去了。以後也不必只管當作奇事混說。」襲人點頭答應。

寶玉回房，襲人替他換衣服，見脖子上沒掛著通靈寶玉，就問寶玉是否丟失了，寶玉回憶說，剛才忙著換衣服時摘下來放在炕桌上。襲人回頭看桌子上，並沒有玉，急得滿頭大汗。寶玉勸她說，沒準屋裡誰鬧著玩給藏起來，丟不了。襲人於是問麝月她們，她們根本沒拿。找了半天，什麼也沒找著。襲人又急又怕，知道丟了這玉就是丟了寶玉的命根子，賈母、王夫人和賈政知道了，那還得了。襲人急得只是哭，怡紅院裡個個嚇得目瞪口呆，寶玉也嚇得呆了，束手無策。大家正在發獃，只見各處知道的人都來了，大家又把大觀園仔仔細細地搜尋一遍，仍是一點蹤跡都沒有。他們懷疑賈環拿走玉，平兒便去問賈環，他急著說：「人家丟了東西，你怎麼又叫我來查問！我是犯過案的賊麼？」說完轉身就走，大家也攔不住他。

大家正商量怎麼告訴賈母和王夫人，趙姨娘又哭又喊走進來，進門把賈環往前一推，罵他們怎麼懷疑賈環。賈環也跟著哭嚎起來。正鬧著，王夫人來了，進屋坐下，就叫襲人，嚇得襲人連忙跪到王夫人跟前，哭著報告丟玉的事。王夫人聽完也急得哭起來。鳳姐聽說了，這時帶著病也來了，和王夫人、李紈等一商量，讓先把園內鎖上，三天之內，裡邊的人誰也不許出去，等玉找著了才放行。岫煙說妙玉能扶乩，就讓岫煙去求妙玉給算一下。還有林之孝的說有人測字測得很準，襲人一聽，便求林之孝的去給測測，不一會兒，林之孝的就告訴說，測了個「賞」字，叫往當鋪裡找去。

第九十五回　因訛成實元妃薨逝　以假混真寶玉瘋癲

妙玉說是它在青埂峰的古松樹下，李紈說，肯定是誰偷了怕查出來，擱在有松樹的山子石底下。襲人聽了，便到園子裡所有的石頭底下亂找，只是沒有。大家就這麼捕風捉影一驚一乍的，求神算卦，當鋪裡、園裡、園外，連找帶查，一連鬧了好幾天，這玉還是沒下落，幸虧賈母和賈政還不知道。寶玉幾天沒帶玉，就開始發上呆了，一天到晚也不說話，也不做事，也不上學，丟了魂似的。開始大家還認爲他是丟了玉不高興，都沒在意。這天突然元春死了，賈母、賈政、王夫人忙著進宮哭喪、送葬，誰還顧得上他。寶玉每天悶在家裡，漸漸地，說話也糊塗了，連吃飯喝水都不知道要了。襲人因爲心虛，也不敢問他，看著乾著急。後來看他病得厲害，怕鬧出大事來擔待不起，才告訴了鳳姐。鳳姐叫請醫生治病，吃了幾劑藥，反倒呆得更嚴重了。

元妃的後事處理完了，賈母來大觀園看寶玉，一見他那神情，問什麼話，襲人教一句，他答一句，要不就嘻嘻地傻笑。賈母覺得不對勁，問他是怎麼了。王夫人知道瞞不下去了，只好說出丟玉的經過。賈母一聽，急得一下子站起來，流著淚生氣地叫人快叫賈政去。賈政不在，便叫賈璉來，寫了廣告，貼到寶玉出門路過的地方去，誰撿了那玉送來的，情願送給銀子一萬兩表示感謝；若有見人撿了來報信的，找到玉後贈送銀子五千兩。王夫人明知是白費心，也不敢多說。賈母又讓寶玉搬到她那兒去住，只叫襲人、秋紋跟過去伺候。

賈政想叫人悄悄地撕下告示，早就有人撕走了。過了幾天，就有人上門來送玉。正好賈璉在家，忙報告了賈母、王夫人，賈母叫趕緊請那人到書房去坐，又叫把那玉拿來看看，若是眞的馬上賞人家。賈璉連忙送進來，大家覺得少了光澤，還是認不出來，因拿去給寶玉自己看看，但寶玉看也不看，說：「你們又來哄我了。」冷笑著把那玉扔到地上。

第九十六回 瞞消息鳳姐設奇謀 洩機關顰兒迷本性

賈璉出去，便憤怒地把那個人痛罵了一頓，然後攆了出去。原來那塊玉是假的，那個人想騙錢，按廣告上描繪的樣子仿造的。

之前王子騰晉升內閣大學士的消息，使王夫人非常高興。她想：「娘家人少，薛姨媽家又衰敗了；兄弟又在外任，照應不著。今日忽聽兄弟拜相回京，王家榮耀，將來寶玉都有了依靠。」但希望很快落空，王子騰還未走馬上任便死在途中，王夫人聽了，一陣酸楚，心口疼得坐不住。

通靈寶玉沒找到，倒弄出個假寶玉來，寶玉還是天天呆裡呆氣的，賈母看在眼裡，疼在心裡，十分著急。正好在這時候，賈政又升了江西管水道運糧的官，不久就要到南方上任去。雖然親朋好友都來道賀，賈政想著兒子的事，怎麼也高興不起來。此時，賈母把賈政叫來說，她讓人算過命了，寶玉若找個金命的人結婚，用喜氣沖沖邪氣，病就好了。意思是讓寶玉和寶釵成親。並說趁王夫人在跟前，叫賈政夫婦商量看行不行。賈政想寶玉病著，身體弱，如果成親一折騰，會不會病得更厲害了？他心裡有些不願意，但賈母之言猶如聖旨，他怎麼違抗呢。再看看王夫人，雙眼含著淚期待著他的回答。賈政又擔心薛蟠在監牢裡，又元春剛死，寶玉應該戴孝九個月，現在也不該娶親。賈母想想賈政說的有道理，只是她早就認定了不娶親就救不了寶玉，人命關天，別的什麼也顧不了。賈政知道再說什麼也不能使賈母轉心，只好答應，將一切都交給賈母和王夫人決定，自己先告退了。

賈母和賈政他們商量寶玉寶釵的婚事，寶玉在屋裡睡著了，沒聽見；襲人把這邊的話聽得一清二楚。她先暗暗高興，巴不得寶玉娶寶釵，以為寶釵比黛玉待她好。轉念一想，寶玉心裡只有黛玉，以前砸玉、鬧病，還不都是因爲黛玉。現在要他撇開黛玉娶寶釵，除非他糊塗得人事不知還可，否則恐怕不但不能沖喜，反而要催他的命，到時候，連寶釵、她都得跟著倒楣。襲人左思右想，覺得應該把這告訴賈母和王夫人，於是她先單獨把王夫人請出來，哭著跟王夫人說了寶玉、黛玉的事。王夫人進去趕緊告訴了賈母，賈母聽了沈默了好久。此時鳳姐也在，鳳姐提出「掉包兒」的奇謀，欺騙寶玉說給他娶黛玉，聽得賈母直笑著點頭，事情便商議定了。

一天上午，黛玉帶紫鵑來看賈母，走出院門沒幾步，忽然想起忘了帶手絹，便叫紫鵑回去拿，她自己慢慢地走著。走到沁芳橋那邊山石背後以前和寶玉葬花之處，忽然聽見一個人在那兒嗚嗚咽咽地哭，走過去一瞧，是賈母屋裡的傻大姐。黛玉問她爲什麼哭，傻大姐又傷心又委屈地說，爲寶玉娶寶釵的事情挨了打。傻大姐這句話一出口，就好似晴空裡響了個霹靂，震得黛玉頭暈目眩，心頭亂跳。略定了定神，把傻大姐叫到她以前葬桃花的地方，接著問：「寶二爺娶寶姑娘，他爲什麼打你呢？」傻大姐全然沒有留意黛玉的神情，只管說：「我們老太太和太太、二奶奶商量了，因爲老爺要起身，說：就趕著往姨太太商量，把寶姑娘娶過來罷。頭一宗，與寶二爺沖什麼喜：第二宗，趕著辦了，還要與林姑娘說婆婆家呢。」黛玉此時聽得已經呆了，傻大姐卻以爲她聽得入神。她只覺得心裡如同打翻了五味瓶，甜、苦、酸、鹹竟說不上什麼味兒來了。傻大姐走了，她自己轉身要回瀟湘館，身子卻有千百斤重似的，兩隻腳軟得像踏著棉花一般；只得一步一步慢慢的走來。紫鵑取了絹子來，並不見黛玉，遠遠地就看見黛玉身子晃晃蕩蕩的，在那兒東轉西轉，連忙過去問她，黛玉卻隨口答應說要問問寶玉去。紫鵑聽了，摸不著頭腦，只得攙著她到賈母這邊來。恰好賈母睡著，直接進到寶玉屋裡。見到寶玉，黛玉卻又不問什麼，只是瞧著他傻笑，寶玉也坐在那裡看著黛玉笑。兩人對坐著傻笑半天，黛玉突然問：「寶玉，你爲什麼病了？」寶玉笑著說：「我爲林姑娘病了。」紫鵑、襲人兩個聽了目瞪口呆，面面相覷，他倆卻毫不介意，仍舊傻笑。襲人見了，知道黛玉此時心中的迷惑和寶玉一樣，怕再鬧出什麼亂子，便讓秋紋和紫鵑一塊兒送她回去。黛玉就站起來，瞅著寶玉只管笑，只管點頭兒，從寶玉屋裡出來，也不用人攙扶，自己卻走得比往常飛快。紫鵑秋紋後面趕忙跟著走，將到瀟湘館門口，黛玉身子往前一栽，「哇」的一聲，一口血直吐出來。

第九十七回　林黛玉焚稿斷癡情　薛寶釵出閨成大禮

秋紋慌慌張張地回賈母那兒，向賈母稟告黛玉的情形。賈母急忙帶了王夫人和鳳姐過來，見黛玉臉色蒼白，昏昏沈沈，氣息微細，半日又咳嗽了一陣，吐出來的痰中都帶血。大家都慌了，只見黛玉微微睜眼，看見賈母在她旁邊，便喘吁吁的說道：「老太太！你白疼了我了！」賈母出來，便讓鳳姐給她預備後事，估計活不了幾天了。賈母心裡很不痛快，對鳳姐說：「偺們這種人家，別的事自然沒有的，這心病也是斷斷有不得的！林丫頭若不是這個病呢，憑著花多少錢都使得；就是這個病，不但治不好，我也沒心腸了。」於是只讓賈璉請大夫給黛玉看病，她和王夫人、鳳姐忙著張羅寶玉成親的事去了。

鳳姐先試試寶玉，就對他說賈政給他娶黛玉。寶玉聽了，也不知道清楚還是糊塗，哈哈大笑，笑完，站起來就要告訴黛玉去。鳳姐以為他又說上了瘋話，就不再理他，出來告訴了賈母，趕著準備迎娶寶釵。於是王夫人來薛姨媽那兒，先談王子騰、薛蟠的事，然後說到寶玉的病來，說出要迎娶寶釵過去沖喜的主意。薛姨媽雖然心疼寶釵太委屈了，但看在賈母的誠意上，也只好答應了。薛姨媽把這件事告訴寶釵，寶釵也不說話，只是低頭垂淚，薛姨媽只能再三安慰。寶玉聽了鳳姐的話，以為眞的讓他娶黛玉，高興得手舞足蹈，雖然仍說些瘋話，也不那麼呆了。第三天是好日子，王夫人將準備好的聘禮送給寶釵，鳳姐吩咐送禮的人，大家都不敢走漏消息。

黛玉雖然服藥，病卻一天比一天沈重，紫鵑在一旁勸她，只說就拿寶玉的身體來說，病成那樣，怎麼能成親呢？叫黛玉別說瞎話，自己安心保重。黛玉卻明白，又想起以前有病時，賈母等都常來看望，現在好幾天卻連一個來問候的人都沒有，睜開眼，只有紫鵑一人，再沒有活下去的理由了。黛玉叫雪雁將她以前整理的詩稿找出來，放到她跟前，又拿手絹指著箱子，嘴裡卻氣喘得說不出話，紫鵑想了半天，猜她是要那塊題著詩的舊手帕，便叫雪雁拿出來給她。黛玉接過來，掙扎著拚命地要撕那塊手帕，兩手卻抖得厲害，哪能撕得動！紫鵑知道她是恨寶玉，卻不敢明說，只勸她別生氣。黛玉點點頭，又叫雪雁把火盆的炕桌拿來，然後把手帕和詩稿扔在火盆上。紫鵑一驚，要去搶，兩手卻不敢動。雪雁去搶桌子，此時已經燒著了。黛玉卻把眼睛一閉，往後一仰，差點把紫鵑壓倒，紫鵑忙叫雪雁上來，將黛玉扶著躺下，兩人的心都砰砰地亂跳。好不容易熬了一夜，黛玉忽然又咳嗽又吐起來。紫鵑看情形不好，忙把雪雁等都叫進來看守，自己去稟告賈母。誰知到了賈母房裡，靜悄悄的，只有幾個老婆子和粗活丫頭在。紫鵑問賈母在哪兒，那些人卻都說不知道。紫鵑也猜到，今天八成是寶玉成親的日子了，又想到黛玉這幾天連一個問的人也沒有，越想越悲，不禁忿忿不平，只好回到瀟湘館。進來看時，只見黛玉肝火上炎，兩顴紅赤。紫鵑覺得不妥，叫了黛玉的奶媽來看，奶媽便大哭起來，這反倒把紫鵑弄得七上八下，不知如何是好。忽然想起李紈來，於是連忙命小丫頭去請李紈來。李紈聽了，嚇了一大跳，連忙站起來就走。李紈走過來看見黛玉時，黛玉已經不能說話了，輕輕叫了她兩聲，黛玉卻還微微的開眼，像還有知覺，但只眼皮嘴脣微有動意，口內尙有出入之息，卻一句話、一點淚，也沒有了。李紈和紫鵑都哭著，此時林之孝的進來，說鳳姐要紫鵑過去使喚。紫鵑不肯去，李紈只好叫雪雁去。

這時寶玉雖因失玉昏憒，但只聽見娶了黛玉爲妻，心想這是從古到今、天上人間、第一件暢心滿意的事了，那身子頓覺健旺起來，只不過不像從前那般靈透，也不那麼呆了，巴不得黛玉快快過來。娶親這天，他好不容易盼到選好的吉時良辰，眞樂得手舞足蹈。伴娘和雪雁扶著新娘下轎，寶玉見了雪雁就跟見了黛玉一樣高興。但雪雁看了這光景，又生氣又傷心。寶玉入洞房之後，知道娶的不是黛玉，而是寶釵，這會子糊塗得更厲害了，口口聲聲只要找林妹妹去，賈母和王夫人都過來安慰他，無奈他只是不聽。又有寶釵在內，不好明說。大家急得沒法子，只好滿屋裏點起安息香來，定住他的神魂，扶他睡下。而賈政對於掉包的事情一無所知，又對於洞房裡的混亂場面也不曾看見，第二天便安安心心地去江西赴任了。

第九十八回　苦絳珠魂歸離恨天　病神瑛淚灑相思地

寶玉越加沉重，次日連起坐都不能了，湯水都吃不進去了。這天寶玉悄悄問襲人黛玉在哪兒，襲人說病著，寶玉就掙扎著要去看黛玉，身子卻虛弱得起不來。他哭著對襲人說：「我要死了！我有一句心裏的話，只求你回明老太太，橫豎林妹妹也是要死的，兩處兩個病人，都要死的！死了越發難張羅，不如騰一處空房子，趁早把我和林妹妹兩個抬在那裏，活著也好一處醫治、服侍，死了也好一處停放。你依我的話，不枉了幾年情分。」這話恰好被寶釵聽見了，心裡很不自在，又明知道寶玉的病根就是黛玉，心想不如告訴他實情，讓他徹底死心絕念，便走過來對寶玉說，黛玉已經死了。寶玉知道黛玉已死，立刻哭得昏死過去。

突然眼前一片漆黑，不知東南西北，茫然間只見一個人走過來對他說：黛玉生不同人，死不同鬼，如今已回太虛幻境去了，你有心找她，必須潛心修養，自然有和她相見的日子，若是任意輕生，就難見她了。說完拿出一塊石頭，朝寶玉的胸口丟來，寶玉叫了一聲，醒過來，就看見賈母、王夫人、寶釵、襲人都圍著他哭喊著，才知道剛才是做了一場夢。大家看寶玉醒了，才都鬆了一口氣。大夫來診察過後，卻發現他脈氣沉靜，神安鬱散，再吃些調理的藥就會好了。大家本來都埋怨寶釵太性急，這會兒才明白了她的苦心。

寶玉的病似乎是好多了，雖不時想起黛玉，尚有些糊塗。幸有襲人緩緩的將「老爺選定的寶姑娘爲人和厚，嫌林姑娘秉性古怪，原恐夭折。老太太恐你不知好歹，病中著急，所以叫雪雁過來哄你」的話，時常勸解。寶玉終是心酸落淚，欲待尋死，又想著夢中之言，又怕賈母、王夫人生氣，不得撩開。又想黛玉已死，寶釵又是第一等人物，才信「金石姻緣」有定，自己也解了好些。

卻說寶玉成親的那一天，黛玉白日已經昏暈過去，卻心頭口中一絲微氣不斷，把個李紈和紫鵑哭得死去活來。到了晚上，黛玉卻又緩過來了，微微開眼，似有要水要湯的光景。此時雪雁已被鳳姐叫人拉了去，只有紫鵑守在跟前哭泣。黛玉似睡非睡，時昏時醒。突然間，隱隱約約地彷彿聽到一陣娶親的樂聲遠遠傳來，她猛然叫道：「寶玉，寶玉，你好……」話未說完，渾身溢出冷汗，兩眼一翻而逝。而這一天，鳳姐也知道黛玉的事，只是看寶玉病得嚴重，怕賈母聽了受不了，不敢馬上回明，隔了幾天才背著寶玉，緩緩地將這件事告訴賈母和王夫人。賈母說著要到瀟湘館去，王夫人攔住賈母。賈母又一聽提起女兒，更忍不住流淚。鳳姐怕賈母哭壞了身體，故意騙她說寶玉要找賈母。賈母果然收了眼淚，連忙過來看看。賈母告訴寶釵黛玉之事，寶釵聽了，不免也落下淚來，賈母又叮嚀她不可告訴寶玉，然後才離開。

寶玉雖然病勢似乎是好多了，但他的癡心總不能解，必要親去哭她一場。賈母等知他病未除根，不許他胡思亂想，怎奈他鬱悶難堪，病多反覆。倒是大夫看出心病，因說索性叫他開散了再用藥調理，倒可好得快。寶玉聽說，立刻要往瀟湘館來。賈母等只得叫人抬了竹椅子過來，扶寶玉坐上，賈母王夫人即便先行。到了瀟湘館，一見靈柩，賈母等已哭得淚乾氣絕。王夫人、寶釵也都哭了一場。。寶玉一到，便哭得死去活來，大家攙扶歇息。寶玉必要叫紫鵑來見，問黛玉臨死前有何話說。紫鵑本來深恨寶玉，見寶玉如此傷心，心裏已經舒服點了，又有賈母王夫人都在這裏，不敢數落寶玉，因便將燒毀帕子，焚詩稿，並臨死的說話一一告訴了。寶玉又哭得氣噎喉乾，探春趁便又將黛玉臨終囑咐帶柩回南的話也說了一遍。大家又哭了一回。多虧鳳姐能言勸慰才好些。

第九十九回　守官箴惡奴同破例　閱邸報老舅自擔驚

賈政調任江西糧道，爲了保性命，爲了不抹煞祖父的功勛，一心要做好官，不許手下人敲詐勒索，自己也不去賄賂上司。可是，這根本行不通，後來聽了家人李十兒的一席話說得清楚明白，睜隻眼閉隻眼，不得不允許手下人去貪污勒索，大發洋財。賈政得過且過，日子倒過得很自在。有些幕友向賈政規諫，賈政卻不以爲意。

上任不久，在南方沿海做官的一位老朋友周瓊寄來一封信，提起兒女們的婚事，要和賈政做親家。賈政想起原先一塊在京城做官時，曾見過周瓊的兒子，因爲見他長得不錯，就有意把探春嫁給他，曾和周瓊提過。後來周瓊到南方，遙隔數千里，也就把這件事放下來。現在賈政也到南方來，見周瓊有信來問，以爲這是兩家的緣份，況且門戶相當，也配得上探春，於是心裡很願意。但賈母、王夫人都不在跟前，他又不敢擅自做主，便寫信回去和賈母、王夫人商量。

有一天，賈政在公館閒坐，見桌上推著許多邸報。賈政一一看去，見刑部一本：「爲報明事，會看得金陵籍行商薛蟠。」賈政嚇了一跳，隨即用心看下去，就是薛蟠毆傷張三身死，串囑屍證，捏供誤殺一案。賈政因薛姨媽之託，曾託過知縣，若請旨革審起來，牽連著自己，好不放心。即將下一本開看，偏又不是，只好翻來覆去，將報看完，終沒有接上一本的，心中狐疑不定，更加害怕起來。正在納悶，只見李十兒進來，賈政跟李十兒將看報之事說了一遍。

第一百回　破好事香菱結深恨　悲遠嫁寶玉感離情

賈政的頂頭上司節度大人是周瓊的親戚，而周瓊就寫給信節度大人，要他照應賈政。賈政能和節度大人有了瓜葛，使他喜出望外。他高興地說：「我們如今也是親戚了。」

薛姨媽為薛蟠這件人命官司，各衙門內不知花了多少銀錢，才定了誤殺。原打量將當舖折變給人，備銀贖罪，不想刑部駁審，又託人花了好些錢，總不中用，還是依舊定了個死罪，監著守候秋天大審。薛姨媽又氣又疼，日夜啼哭，寶釵時常過來勸解。因為薛蟠，薛家的家產幾乎沒了，又有些夥計們，見薛家的勢頭敗了，各自奔各自的去了，還有幫著人家來擠薛家的訛頭。

金桂若是薛蝌在家，她便打扮起來，常從薛蝌的房間前走過，或故意咳嗽一聲，明明知道薛蝌在屋裏，還問房裏是誰；有時遇見薛蝌，她便嬌嬌痴痴地問寒問煖，忽喜忽嗔。丫頭們看見，都連忙躲開。她自己卻不覺得，只是一心一意要弄得薛蝌感情時，好行寶蟾之計。薛蝌卻只躲著，有時遇見也不敢不周旋她，倒是怕她撒潑放刁的意思。金桂一則為色迷心，越瞧越愛，越想越幻，還看不出薛蝌的眞假。只有一件讓金桂難受，她見薛蝌有什麼東西都是託香菱收著；衣服縫洗，也是香菱；兩個人偶然說話，香菱來了，急忙散開。欲待發作薛蝌，卻是捨不得，只得將一腔隱恨都擱在香菱身上。卻又恐怕鬧了香菱得罪了薛蝌，倒弄得隱忍不發。有一天，金桂知道薛蝌喝醉，攔著他就要拉他的手，此時被香菱看到，金桂嚇了一跳，放下薛蝌的手，薛蝌卻脫身跑了。從此，金桂把香菱恨入骨髓。

王夫人接著賈政的信，就跟賈母說探春的婚事。賈母聽了只擔心探春走得太遠，兩年三年回不了一次家，恐怕她死前不能再見孫女的面了，忍不住掉下眼淚。王夫人勸她說：只要孩子們有造化，不怕遠，能嫁個好人家就行。迎春雖然嫁得近，但常常聽見她被女婿打罵，甚至不給飯吃，讓人聽了難受。賈母聽著有理，便讓鳳姐給探春準備遠行的東西，先選個好日子送探春到賈政那兒，出嫁的事再由賈政在南方辦。寶玉知道探春的事，幾乎又失了神，寶釵也很難過。但探春的親生母親趙姨娘卻喜歡。

第一百一回　大觀園月夜警幽魂　散花寺神籤驚異兆

鳳姐從賈母處回來，已是傍晚。先派了人分頭去辦理東西，自己忽然想起探春要遠嫁異鄉，心裡還不知道什麼滋味，該看看她去才好，便叫豐兒、小紅和一個小丫頭打上燈籠陪她去。一出門，見外面月亮明鏡似的在天上掛著，便讓打燈籠的小丫頭回去了。走過佣人們的窗前，聽見屋裡有人說得熱鬧，鳳姐想肯定是那些老婆子們又在搬弄什麼是非，心裡不痛快，就叫小紅去探聽她們議論什麼。小紅走了，鳳姐只帶著豐兒進園來，突然冷得渾身一抖，叫豐兒快回去拿件衣服來，她先到探春那兒等著。鳳姐一人走在園子裡，想起賈母說笑話時，叫她不要一個人到園裡去，免得黛玉恨她，而拉著她不放。鳳姐心裡不由得一陣發緊，後悔不該到園裡來，又不好退回去，只好硬著頭皮往前去。快到探春住所門口，迎面有個人影一晃，就不見了。鳳姐心虛，忙問是誰，卻沒人答話，仔細一想，那人好像賈蓉死去的妻子秦可卿，心說撞鬼，轉身就往回走。不防一塊石頭絆了一跤，出了一身冷汗。此時，小紅和豐兒遠遠地過來了，鳳姐怕她們看見笑話，急忙爬起來，就回去了。鳳姐作孽多端，疑神疑鬼，以為有鬼來勾她的魂，嚇得一夜沒能合眼。

王子騰病死在上任的途中，對賈府又是個沈重打擊。王子騰在任上貪污案被揭發，皇家向其弟王子勝、其侄王仁身上追賠。賈璉心裡明白，他們之間是一損俱損，一容俱容。王家的破敗，當然也要影響到賈府。因此，儘管賈璉提起王仁就恨得咬牙，還得硬著頭皮爲他託人情，不辭勞苦幫他開脫罪責。

鳳姐素日最厭惡迷信，但自從昨夜見鬼，心中總是疑疑惑惑的，又聽了散花寺姑子的話，不覺把素日的心性改了一半，已有三分信意。因此，到了初一清早，鳳姐令人預備了車馬，帶著平兒并許多奴僕，來至散花寺求籤。

第一百二回　寧國府骨肉病災祲　大觀園符水驅妖孽

探春將要起身，一天晚上，賈珍妻子尤氏來跟探春告別，走便門抄近路從大觀園穿過去，見園中景色荒涼蕭條，心裡悵然如失。回到家中，身上有些不舒服，過了幾天，病重得竟躺倒了，一到夜裏，燒得盡說胡話。賈珍連忙請大夫來看，大夫說是感冒起的，開了兩劑藥，尤氏吃了，燒還不退，反更嚴重。賈珍讓賈蓉再去請好醫生來，賈蓉說，那個醫生就是醫術最高明的，若他看不好，只怕他母親的病就不是藥能治好的了，怕是撞上了鬼。又說有個毛半仙算卦很靈，不如請他給算算。賈珍便叫他請毛半仙來掐算一通，說是碰上了白虎精。賈珍想起人們說的鳳姐遇鬼的事，信以爲眞，讓人到園裡去燒了些紙，尤氏竟眞的好了。於是榮寧府裏又傳開了，說大觀園裡確實有妖怪。人們一傳十，十傳百，越傳越神，還有的說晴雯死後成了園裡的芙蓉花神，黛玉死後半空裡有音樂，一定也成了什麼花仙。從此人們誰也不敢單獨進園，那些看園子的大白天出來進去都要幾個人作伴才敢走。就連賈母聽到這些，也著急得不得了，生怕妖怪來纏寶玉，派過來好多人圍著寶玉住的房子，晝夜值班。別屋的人也都害怕，加了值夜班的。弄得賈府上下人心惶惶。

只有賈赦不大相信，於是選了個風清日煖的日子，帶了好幾個人，又手裡拿著器械，到園裡查看。一進園子，果然覺得陰森森的。賈赦仗著人多，壯著膽子往前走，別人只好跟在後面。有個年輕的下人正膽顫心驚地走著，突然聽見身後有動靜，扭頭一看，只見一個花裡忽哨的東西從眼前一晃過去了，嚇得兩腿一軟，摔倒了。賈赦回過身來問怎麼回事，那個膽小鬼胡編說，親眼看見一個黃臉紅鬍子綠衣裳妖精走到樹林子後頭山窟窿裏去了。賈赦又問另幾個人，原來是個大公雞飛過去了，但那些人替那膽小鬼說謊，都說確實看見了。賈赦也害怕起來，不敢再走。他吩咐小子們回去不要提這件事，只說都查過了，沒有什麼妖怪。便帶著那些人急忙出來。那些人看見賈赦怕了，不但不瞞著，反穿鑿附會，說得人人吐舌。因而賈赦回去後，就請道士來園裡施法術驅邪捉妖。

賈政因手下的人胡作非為，被人參了一本。皇上看了奏章十分生氣，但知道賈政是被下人蒙蔽的，遂把他降職調回京城。

第一百三回　施毒計金桂自焚身　昧真禪雨村空遇舊

金桂天天抱怨說：「我這樣人，爲什麼碰著這個瞎眼的娘，不配給二爺，偏給了這麼個混賬東西。要是能夠和二爺過一天，死了也是願意的！」說到那裏，便恨香菱，但後來要香菱去作伴，待香菱很好了。有一天，叫寶蟾做兩碗湯，說要和香菱同喝。寶蟾氣不過，故意一碗裏頭多抓了一把鹽，記了暗記，原想給香菱喝的，剛端進來，金桂卻攔著寶蟾叫外頭小子們僱車，說今日回家去。寶蟾出去說了回來，見鹽多的這碗湯在金桂跟前。寶蟾怕金桂喝著鹹，要被罵。此時，金桂往後頭走動，寶蟾趁金桂不注意的時候，就把香菱的碗湯換過來了。金桂回來就拿了湯去到香菱床邊，兩個人都喝完了。原來金桂要下毒害死香菱，將砒霜撒上了，不知道寶蟾換碗，喝完湯之後便死了。

賈雨村升了京兆府尹，兼管稅務。一日，出都查勘開墾地畝，路過知機縣，到了急流津，正要渡過岸，因等待人夫，暫且停轎。恰好見旁邊有一間小廟，牆壁坍頹，露出幾株古松，倒也蒼老。雨村下轎，閒步進廟，但見廟內神像，金身脫落，殿宇歪斜，傍有斷碣，字跡模糊，也看不明白。意欲行至後殿，只見一株翠柏，下蔭著一間茅廬，廬中有一個道士，合眼打坐。雨村走進看時，面貌甚熟，想著倒像在那裏見過的，再想不起來。賈雨村認爲像是甄士隱，可是那道士怎麼問還是不肯說前因，仍合眼打坐。雨村無可奈何，只得辭了道人出廟。

第一百四回　醉金剛小鰍生大浪　癡公子餘痛觸前情

賈雨村剛欲過渡，見有人飛奔而來，跑到跟前說，剛才那廟火起了。雨村回頭看時，只見烈焰燒天，飛灰蔽日。雨村想回去看看甄士隱有沒有事，怕耽誤了過河，若不回去，心裡又不安。雨村雖然心裡懷疑，但他是名利關心的人，不肯回去看，只叫人等到火滅了，進去瞧甄士隱在不在，就來回稟。後來，那個人來跟賈雨村說：進去瞧那道士，他坐的地方兒都燒了，但道士的影兒都沒有了，連骨頭都沒有一點。只有一個蒲團，一個瓢兒，還是好好的。

有一天，賈雨村行了一程，倪二喝醉了，擋著賈雨村的路鬧起來，雨村便把倪二送進監獄。倪二的妻子和女兒想起倪二跟賈芸交情不錯，去找賈芸拜託，賈芸也一口答應了。但賈芸自從那日被鳳姐拒絕收禮，不好意思，不常到榮府。那榮府看門的都看著主子行事，叫誰走動，才有些體面，一時來了，他便進去通報；若主子不大理了，不論本家親戚，他一概不回。那日賈芸到府，看門的人說賈璉不在，不讓他進去，因而只得回家。又被倪家母女催逼著，賈芸愛面子，嘴裏還說沒問題。賈芸大門不能進去，繞到後頭，要進園內找寶玉，不料園門鎖著，只得垂頭喪氣的回來。來到家中，只見倪家母女正等著。賈芸無言可說，便說：榮國府已經打發人說了，只是賈雨村不依。倪家母女沒辦法，另託人將倪二弄出來了，只打了幾板，也沒有什麼罪。倪二回家，他妻女將賈家不肯說情的話說了一遍，倪二便生氣。

賈政雖被降職，幸好皇上還不甚怪罪，反而高興回來與家人團聚。他只有沒看見黛玉，問起黛玉，此時寶玉等在旁都不敢說，他們都回去之後，王夫人才說出黛玉的事。賈政一聽，嚇了一跳，想起自己妹妹留下的孤女，竟不曾好好照顧，不覺掉下眼淚來。

寶玉因昨日賈政問起黛玉，王夫人答以有病，他便暗裏傷心，直待賈政命他回去，一路上已滴了好些眼淚。回來後便獨坐外間納悶。寶釵以爲他是怕賈政查問功課，所以如此，就過來安慰。寶玉就趁機說：「今晚我在外頭看書，叫襲人陪我就好。」寶釵聽來有理，就先回房，寶玉拉著襲人，把紫鵑叫來。襲人勸他明天找她說話，寶玉卻傷心地流眼淚，跟襲人說話。他們說著說，此時已經四更了，麝月來請寶玉睡覺，寶玉只好先睡了。

第一百五回　錦衣軍查抄寧國府　驄馬使彈劾平安州

親戚朋友聽說賈政回來，都要請戲班子唱戲爲他接風，賈政再三推辭，最後反而決定在家裡擺酒席宴請大家。賈政正在榮禧堂設宴招待客人，賴大忽然進來報告說錦衣府的趙老爺帶領好幾位司官來了。賈政心想與趙老爺平時並沒有交往，這次又沒請他，正納悶，趙老爺已帶人直闖進來，到裏邊微笑著坐下，只和賈政打了招呼，別的人一概不理，搞得大家都莫名其妙。此時，西平王也來了，笑著說有奉旨要辦的事，讓賈赦接旨，先請親戚朋友們迴避。客人都走後，西平王才說：「小王奉旨，帶領錦衣府趙全來查看賈赦家產。賈赦交通外官，依勢凌弱，辜負朕恩，有忝祖德，革去世職。」趙老爺馬上下令，把賈赦押起來，把賈政、賈珍、賈璉等都看守住。接著命令賈府的家人帶路挨屋抄查財物。西平王忙說賈赦和賈政雖未分家，但各自起火單過，吩咐只抄賈赦的家，其餘的鎖起來，等聖旨下來再說。趙老爺堅持要全部抄查。錦衣府那些人早等不及了，沒等王爺下令，就分幾路查抄去了。一個人報告說：「內查出御用衣裙並多少禁用之物，不敢擅動，回來請示王爺。」一會兒又有人來說：「東跨所抄出兩箱子房地契，又一箱借票，都是違例取利的。」賈政這邊，趙老爺正逼得緊，北靜王來了，傳聖旨讓趙老爺帶走賈赦審訊，其他事情都交給西平王處理。西平王命令不許胡亂混動，不再抄，只讓賈政領人實實在在地把賈赦的家產報出即可。

賈母這邊女眷們也擺了酒席，寶玉裝病躲在這兒。此時見邢夫人那邊的一個人跑進來叫著，強盜來了翻箱倒籠地來拿東西。賈母嚇得目瞪口呆。緊接著平兒帶著巧姐披頭散髮地也來了，說屋裡被人抄。賈母聽了嚇得涕淚交流，連話也說不出來了。邢、王二夫人嚇得魂飛魄散，不知怎樣才好。鳳姐開始圓睜兩眼聽著，後來一仰身便栽倒地下，昏死過去。此時，賈璉急忙跑來賈母她們那邊說，幸虧王爺救了我們。賈母才漸漸緩過氣來，鳳姐也慢慢甦醒過來。

賈璉讓人把鳳姐架回自己屋去，進門一看，箱子裡的東西一搶而空，心中又氣又急。還沒來得及收拾，有人來叫他。出去見賈政和司員登記被抄的東西，王爺問賈政，被抄的東西裡有高利貸的借券，是誰幹的。賈政跪在地上回答說實在不知道。賈璉忙跪下招認是從他屋裡抄出來的，於是賈璉也被拘留了。

此時寧國府的焦大跑進來說，東府也被抄家了，賈珍、賈蓉也被拘。賈政聽了，心如刀絞，自言自語地說：「完了，完了，想不到我們會如此一敗塗地。」賈政便叫薛蝌去打聽。薛蝌回來說在外面聽到的賈府的罪狀：首先，交通外官，依勢凌弱。其二，包攬詞訟，強迫良民退婚。其三，強占良民之妻爲妾，因其不從，凌逼致死。其四，賈珍引誘世家子弟賭博。還有抄家後又發現高利貸的借券，等等。

第一百六回 王熙鳳致禍抱羞慚 賈太君禱天消禍患

北靜王派人傳旨來了，賈政趕緊出來。幸虧皇上看元春逝世不久的情份，不忍對賈政治罪，照顧他仍在工部做官。抄走的家產，只將賈赦的歸公，其他的一律退還。只有那借券下令讓北靜王查對，凡違法取高利的一律沒收，合法的仍退還。將賈璉撤職釋放。寧國府第入官，所有財產房地等項幷家奴等俱已造册收盡。賈母命人接了尤氏婆媳過來。寧國府算徹底垮了，好在榮國府沒什麼大事，賈政鬆了一口氣。只有賈璉最倒楣，榮府數他屋裡抄得最狠，除還了些合法的文書外，別的東西早被抄家的搶走了。賈璉回去正獨自傷心，賈政又把他叫去追問借券的事情。賈璉見賈政發火，急忙說連自己也不知道。賈政才明白那高利貸是鳳姐放的，沒想到她是這麼個財迷心竅、貪得無厭的人，心裡很不痛快。只是鳳姐現在病重，況且她所有的東西，盡被抄搶，心裏自然難受，一時也未便說她，因而暫且隱忍。最可惡的是迎春的丈夫，當賈府被抄時，孫紹祖不僅不援救，還趁火打劫，派人來要賬。

可憐的鳳姐多年來費盡心機撈錢，如今卻落得囊中空空。這時她半死不活地躺在床上，見賈璉回來臉上冷冰冰的，知道借券的事已經查出，慚愧得無地自容，巴不得快死。

，賈赦、賈珍、賈蓉在錦衣府使用，賬房內實在無項可支。如今鳳姐一無所有，賈璉外頭債務滿身，賈政又不知家務。賈璉無計可施，想到那親戚裏頭，薛姨媽家已敗，王子騰已死，餘者親戚雖有，都是不能照應的，只得暗暗差人下屯，將地畝暫賣千金，作爲監中使費。賈璉如此一行，那些家奴見主勢敗，也便趁此弄鬼，將東庄租稅指名借用些。

賈母見祖宗世職革去，現在子孫在監質審，邢夫人、尤氏等日夜啼哭，鳳姐病身垂危，雖有寶玉寶釵在側，只可解勸，不能分憂。所以思前想後，日夜不寧，眼淚不乾。一日傍晚，叫鴛鴦各處佛堂上香，又命自己院內上香，用拐柱著，來到院中，上香磕頭，念了一回佛，含淚禱告。賈母不禁傷心，大哭起來。鴛鴦等解勸，扶進房去。此時，史侯家的兩個女人來，請了賈母的安，說：「我們家老爺、太太、姑娘打發我來說：聽見府裏的事，原沒什麼大事，不過一時受驚。恐怕老爺太太煩惱，叫我們過來告訴說：這裏二老爺是不怕的了。我們姑娘本要自己來的，因不多幾日就要出閣，所以不能來了。」那女人出去，別人都不理會，只有寶玉聽了發了一回怔，心裏想爲什麼人家養了女兒到大了，必要出嫁，一出了嫁就改變。想到那裏，又是傷心，見賈母方才安心，又不敢哭泣，只是悶悶的。

賈政傳了賴大，叫他將賈府裡管事家人的「花名冊」拿來看。賈政將近年支用簿子看了之後，才了解賈府的情形。賈府破敗的另一原因，就是豪華奢侈，揮霍浪費，入不敷出。以地租而論，「近年所交不及祖上一半，如今用度比祖上加了十倍」，已經「寅年用了卯年」的。賈政不得不承認：「我如今要省儉起來，已是遲了。」

第一百七回 散餘資賈母明大義 復世職政老沐天恩

賈母死去活來地傷心了兩天，見事情漸漸平息，慢慢也想開了。聽說賈赦被罰到台站效力，賈珍被派到海疆贖罪，想著寧國府已被抄了，他們哪有路費，只好讓賈政爲他們準備。但榮國府的錢也早花虧了，賈政這兩天正愁今後日子怎麼過，哪還能一下子拿出好幾千銀子，便說只能拿沒被抄走的衣服首飾變賣了送他們上路。賈母聽了，想不到賈府已敗落到這種地步，急得先哭了一通，萬般無奈，想起自己的私房錢，便讓人把她從出嫁到現在的積蓄都拿出來，一一分派。分派完了，又吩咐把用不著的家人都打發走，房產田地該賣的賣，該留的留，讓賈璉去辦。

鳳姐本是貪得無厭的人，如今被抄淨盡，自然愁苦，又怕人埋怨她，巴不得快死去。但見賈母親自來探視，又把私房錢分給她，還有王夫人也不嗔怪，過來安慰她，又想賈璉無事，心下安好些，此時已無速死的決心，而且病情大減。

榮國公世職由賈政來承襲，賈政純厚性成，因他襲哥哥的職，心內反生煩惱，只知感激天恩。於是第二天進內謝恩，將賞還府第園子，備摺奏請入官。內廷降旨不必，賈政才放心回家，以後循分供職。外面那些趨炎奉勢的親戚朋友，先前賈府被抄時都遠避不來，現在賈政襲職，大家又來賀喜。

家人們見賈政忠厚，鳳姐抱病不能理家，賈璉的虧空日重一日，難免都怠慢。只有甄家推薦來的家人包勇，雖是新來到賈府，恰遇榮府壞事，他倒眞心辦事，見那些人欺瞞主子，常常不忿。無奈他是個後來的人，一句話也挿不上，他便生氣，每天吃了就睡覺。衆人嫌他不肯隨和，便在賈政、賈璉前說他終日貪杯生事，並不當差。有一天，包勇喝了幾杯酒，在榮府街上閒逛，偶爾聽說賈府被抄是賈雨村落井下石使的壞，忍不住在路上截住雨村痛罵，被賈政罰到大觀園看園子。

第一百八回 強歡笑蘅蕪慶生辰 死纏綿瀟湘聞鬼哭

抄家之後，賈府大傷元氣，人們一個個垂頭喪氣，說不了兩三句話就帶哭腔，從院裡走一趟，能聽到好幾處哭聲。賈母心酸，變著法子大家高興一下。恰好史湘雲出嫁後回門，來看賈母，想起後天是寶釵的生日，說何不趁機大家聚一聚。於是賈母拿出一百兩銀子，叫廚房裡準備了酒菜，把小姐媳婦太太們全請來，賈母還強打精神讓大家吃喝玩樂了兩天。賈母喜歡熱鬧，但其他人雖強打精神，還是歡笑不起來。

寶玉看見眼前，昔日的姐妹幾乎都不在了，不禁鼻子一酸，就藉口要去脫外服，襲人便陪他回房。但寶玉並不回去，走到大觀園，襲人也只好跟著他。寶玉進去園裡，只見滿目淒涼，那些花木枯萎，更有幾處亭館，彩色久經剝落。遠遠望見一叢翠竹，倒還茂盛，寶玉指著那兒說那是不是瀟湘館。但襲人怕他見了瀟湘館，想起黛玉，又要傷心，所以想用言混過。後來見寶玉只望裏走，又怕他招了邪氣，所以哄著他，只說已經走過了。寶玉不說話，只管往前走，到了瀟湘館時突然說，好像聽到有人哭。然後，寶玉便滴下淚來，道：「林妹妹，林妹妹！好好兒的，是我害了你了！你別怨我，這是父母做主，並不是我負心！」愈說愈痛，便大哭起來。襲人正在沒法，只見秋紋帶著些人趕來：

賈母找寶玉。襲人一聽，顧不得寶玉還在哭，硬把寶玉拉著就走，寶玉沒法，只得回來。

寶玉回到房中，噯聲嘆氣。寶釵明知其故，也不理他，只是怕他憂悶，勾出舊病來，便進裏間叫襲人來，細問她寶玉到園中的光景。

第一百九回 候芳魂五兒承錯愛 還孽債迎女返真元

寶玉想要在夢裡見黛玉，所以跟寶釵說今天他一個人在外間睡覺。寶釵雖然知道寶玉是爲黛玉的事才這樣，但了解寶玉的個性，只好讓寶玉一個人睡在外間。第二天，寶玉睡醒之後，想了一回，但昨晚並沒有作夢。因此，那天又在外間睡，寶釵叫麝月和五兒來照料寶玉。寶玉看見麝月和五兒兩個人正打鋪，忽然想起以前襲人回家探親的時候，晴雯和麝月兩個人服侍他的事情。又想起鳳姐曾經說過五兒長得像晴雯。所以將想念晴雯的心都移在五兒的身上。其實五兒對寶玉早就有其他的想法，但是進寶玉房間之後，見寶釵和襲人都尊貴穩重，心裡敬慕，又見寶玉不像以前那麼聰明機靈，瘋瘋傻傻，又聽說王夫人把晴雯、芳官等攆出去。故五兒對寶玉已打消念頭了。寶玉對她說了一些話，五兒以爲寶玉調戲自己。此時，忽被寶釵咳嗽聲打斷了對話。寶玉和五兒認爲寶釵聽見他們的對話，嚇了一跳。但寶釵什麼都沒聽見。次日，五兒自己心虛，對寶釵說了昨晚寶玉說的一些話。寶釵聽了之後，認爲這些話都是爲黛玉的，因此想設法將寶玉的心意挪移過來，跟寶玉第一次有了雲雨之情。

賈母在寶釵生日的時候，自己興頭上來，飯菜多吃了幾口，這天晚上就有些不舒服，第二天起來覺得胸口脹滿，開始以爲是積了食，餓一餓就好好了。但兩日不進飲食，胸口還覺得膨悶，又開始頭暈咳嗽。賈政叫人請大夫看了，說是感冒，略消導發散些就好了，開了普通的藥。賈母吃了三天，不見稍減。換了別的大夫，也看不好，病一天比一天嚴重，後來又添了腹瀉。一天剛剛好些，偏又聽了迎春被孫家折磨病死，一傷心，病又厲害了。賈母只想孫女們，故派人請湘雲來。沒想到湘雲的丈夫得了重病，沒辦法過來看賈母。大家怕賈母聽了湘雲的消息會傷心，沒告訴賈母。賈政看賈母的病勢不妙，悄悄地吩咐賈璉派人預備後事。

第一百十回　史太君壽終歸地府　王鳳姐力詘失人心

這天賈母躺著，突然睜開眼睛要茶，喝了兩口，又讓人扶著坐起來，把寶玉、賈蘭和鳳姐都叫到跟前，分別叮囑了幾句，又看看寶釵和一屋站著的人，雙眼一閉，面帶微笑死去。皇上知道賈母去世，因爲賈府世代功勳，又是元妃的祖母，因此賞銀一千兩，諭禮部主祭。衆親友雖知賈府勢敗，如今看見聖恩隆重，都來探喪。

賈母活了八十三，死得安然，壽終正寢，是喜喪，所以賈政他們雖然悲痛，卻還沒有哀哀欲絕。獨有鴛鴦，比死了親爹親娘還傷心，哭得個淚人似的。鳳姐雖然生病，但感念賈母向來寵她，家裡又沒有能管事的人，又想自炫其能，故硬撐著身體操辦喪事。這天正忙得焦頭爛額，被鴛鴦叫人請去，一見面鴛鴦便跪下給她磕頭，弄得鳳姐莫名其妙，急忙把她拉起來，鴛鴦就勢說：「老太太的事，一應內外，都是二爺和二奶奶辦。這宗銀子是老太太留下的。老太太這一輩子也沒有糟塌過什麼銀錢，如今臨了這件大事，必得求二奶奶體體面面的辦一辦才好！我方才聽見老爺說什麼『詩云』『子曰』，我也不懂；又說什麼『喪與其易，寧戚』，我更不明白。我問寶二奶奶，說是老爺的意思：老太太的喪事，只要悲切才是眞孝，不必糜費、圖好看。我想老太太這樣一個人，怎麼不該體面些？我是奴才丫頭，敢說什麼？只是老太太疼二奶奶和我這一場，臨死了還不叫他風光風光？我想二奶奶是能辦大事的，故此我請二奶奶來，作個主意。我生是跟老太太的人，死了，我也是跟老太太的！若是瞧不見老太太的事怎麼辦，將來怎麼見老太太呢？」

鳳姐聽著鴛鴦這些話，覺得有些古怪，也沒太在意，只是竭力想把喪事辦得體面些。無奈賈府已今非昔比了，邢夫人又故意刁難，銀錢很緊，致使她事事碰壁，上下亂得一團糟，沒辦法體面起來。鴛鴦氣得直接在賈母靈前哭著抱怨鳳姐。鳳姐到處挨人抱怨，後來又被邢夫人氣得吐了鮮血，才知道都是邢夫人從中作梗。

第一百十一回　鴛鴦女殉主登太虛　狗彘奴欺天招夥盜

第二天要送殯，這天晚上守靈，二更過後，準備向靈柩告別，鴛鴦哭得突然暈了過去。大家圍著掐拽一陣，才醒過來，只聽她又哭喊說：「老太太疼了一場，要跟了去。」人們以爲她哭到痛處隨口說說的，都不把它當眞。

到了向靈柩告別時，大家都到靈前，卻不見了鴛鴦。輪到丫頭們哭悼時，她也沒在，琥珀以爲她哭累了，找地方休息去了，也沒吭聲。等哭悼過了，琥珀想問問她明天送殯時怎麼坐車，便去找她。先到賈母的外間屋裡，沒找見，就要進套間裡去找。正好珍珠也來找鴛鴦，兩人便一塊進去。屋裡光線很暗，燭光時明時滅，有些陰森森的。珍珠走著走著嚷起來：「誰把腳凳撂在這裏，幾乎絆我一跤！」說著，往上一瞧，嚇得驚叫一聲，身子一仰倒在琥珀身上。琥珀也看見了，一個人直挺挺地吊在半空中，正是鴛鴦，嚇得大嚷起來，只是兩隻腳挪不動。

鴛鴦爲賈母殉葬而死，賈政等個個嘆服，連夜買棺材隆重入殮，第二天隨賈母的殯一塊送去。另賞給她嫂子一百兩銀子，算是對鴛鴦爲賈母捐軀的報答。

周瑞的乾兒子何三，曾隨他乾老子在賈府當差，去年因爲和鮑二打架，被賈珍打一頓趕出來，整天在賭場裡混。這幾天知道賈母死了，就到周瑞那兒去探信，想找點事幹，藉機撈點油水。誰知喪事辦得省儉，沒得到什麼好處，只好垂頭喪氣地回了賭場。接著何三在賭場裡，和幾個人勾結要劫賈府。

發喪這天，賈政帶領賈府老小男女都送殯去了，只留下鳳姐和惜春看家，賈芸和林之孝幫著照應。榮府的規矩，一二更後大門關上，男的就不許進來，院裡只剩一些女的值班。鳳姐病得動不了，惜春和平兒到各處轉了轉，也各回各屋。惜春是膽小怕事的人，尤氏和她不合，所以留她看家。她獨自呆著，又不敢睡，也沒人聊聊天，又寂寞又害怕。這時正好妙玉帶著一個道婆來看她，惜春求妙玉陪她下棋熬一夜。妙玉本不願意，見惜春可憐，又想下棋，便答應了。兩人開始下棋，一直到四更，妙玉說要打坐一會兒，讓惜春先去休息。妙玉剛要打坐，突然聽見賈母屋子那邊值班的女人們大呼大叫起來，接著大門外值班的男人們也喊上了。惜春和妙玉聽見有賊了，怕得不敢開門，嚇得不敢吭聲。這時又聽見房頂上咚咚亂響，院裡已有賈府在外邊值班的男人們進來喊著捉賊。一個老婆子喊著房上有人，人們便喊叫著跑過來。突然從房上飛下好多瓦塊，大家只看著，誰也不敢靠前。

包勇被賈政罰到大觀園看園子，他一人消閑，整天在園裡耍刀弄棍，倒練出一身好武功。這時聽見喊聲，他從園裡一下竄出來，恰好惜春的房子挨著園門，只見他手拿長棍，大喊一聲，身子一縱翻上房去，一陣亂打。那些賊被打下房去，從園裡落荒而逃。包勇緊追過去，還要趕時，被一個箱子一絆，立定看時，心想東西未丟，衆賊遠逃，便不追趕，便叫衆人將燈照看。地下只有幾個空箱，叫人收拾。

賈芸、林之孝都趕來了，各屋查了一遍，都沒事，只有賈母屋裡的東西被搶得淨光，好像是預謀的。又到院裡巡查一下，在園門那兒發現了被包勇打死的一個賊，林之孝仔細一看，正是周瑞的乾兒子何三。有人就說賈母那麼多東西全丟了，偷的時間一定不會短，那些值班的人怎麼早沒發現？肯定是他們跟何三串通一起幹的。鳳姐聽見，叫把那些值班的女人都捆起來，交給武官衙門審問。

第一百十二回 活冤孽妙姑遭大劫 死讎仇趙妾赴冥曹

惜春聽見包勇罵妙玉引進賊來。惜春明知他胡說，又怕人們眞去追究妙玉，那不更是自己的責任？她愈想愈怕，嚇得一句話也說不出了。因此她抱怨尤氏讓她留下來。她悶在屋裡，一會兒擔心追查她責任，一會兒又擔心妙玉聽到包勇胡言，以後再不肯來，從此她的知己就算沒了。忽然又想到三個姐姐的悲慘遭遇，預感到自己的不幸未來，於是她決定以入庵爲尼來躲避災禍，就拿起剪刀要削髮。彩屏見勢不妙，忙來勸阻，但一半青絲早已鉸掉，急得彩屏不知所措。正在此時，櫳翠庵的道婆來找妙玉，說昨夜妙玉在觀音堂打坐，半夜突然響動起來，大家欲去看視，卻被一股香味薰著動彈不得，今早起來見觀音堂門窗大開，卻不見妙玉。又在庵外園牆上發現一個軟梯靠牆立著，地下還有一把刀鞘，一條搭膊。

惜春一想，妙玉定是被那晚的賊燒了悶香搶去了，後悔不該留她下棋守夜，心裡叫苦不迭，暗自下定出家的決心。

賈政聽見賈府被盜，決定早點回去，因在賈母靈前辭別，衆人又哭了一場。都起來正要走時，只見趙姨娘還爬在地下不起。周姨娘打諒她還在哭，便去拉她。但趙姨娘滿嘴白沫，眼睛直豎，把舌頭吐出。大家嚇了一跳，賈環過來亂嚷。趙姨娘醒來說：「我是不回去的！跟著老太太回南去！我跟了老太太一輩子，大老爺還不依，弄神弄鬼的算計我！我想，仗著馬道婆出出我的氣，銀子白花了好些，也沒有弄死一個，如今我回去了，又不知誰來算計我！」趙姨娘中了邪，只好讓賈環留下來照顧她，其他人都回去了。

第一百十三回　懺宿冤鳳姐託村嫗　釋舊憾情婢感癡郎

趙姨娘更加混說起來，唬得衆人發怔，就有兩個女人攙著趙姨娘雙膝跪在地下，說一回，哭一回。有時爬在地下叫饒，有時雙手合著，也是叫疼。眼睛突出，嘴裏鮮血直流，頭髮披散。人人害怕，不敢近前。那時又將天晚，趙姨娘的聲音只管陰啞起來，居然鬼嚎的一般，無人敢在她跟前，只得叫了幾個有膽量的男人進來坐著。趙姨娘一時死去，隔了些時，又回過來，整整的鬧了一夜。到了第二天，也不說話，只裝鬼臉，自己拿手撕開衣服，露出胸膛，好像有人剝他的樣子。趙姨娘雖說不出來，其痛苦之狀，實在難堪。正在危急，大夫來了，也不診脈，只囑付預備後事就走。那送大夫的家人再三央告，說：「請老爺看看脈，小的好回稟家主。」那大夫用手一摸，已沒有脈氣兒。

鳳姐留下看家，遇上賊來搶劫，連驚帶嚇，病得再也不能起來。邢夫人、王夫人送殯回來，因怪她看家失職，也不來看她，賈璉也不像以前那麼貼心，總是對她冷冰冰的。鳳姐心裡有苦難言，又起了速死的念頭，只是放心不下巧姐。這天鳳姐一閉眼，彷彿覺得被她害得吞金死去的尤二姐來到她床前。平兒在一旁見她喃喃自語，就叫她。鳳姐驚醒過來，一想尤二姐早死了，怎麼和她說話了，一定是來索命。但鳳姐嘴上卻在說夢話。

這時一個小丫頭進來說劉姥姥來了，平兒讓她先在外面等會兒，鳳姐聽見，忙叫平兒快請留姥姥進來，她有話跟她說。留姥姥聽說賈母去世，記起賈母當年對她的好處，天沒亮就帶著外孫女青兒往賈府趕，來祭奠祭奠，順便看看鳳姐他們。鳳姐竟然向留姥姥求情說：「姥姥，我的命交給你了，我的巧姐兒也是千災百病的，也交給你了！」就把巧姐託付給劉姥姥。劉姥姥以爲她是開玩笑，後來看鳳姐神情很認眞，就半眞半假地試探著鳳姐，沒想到鳳姐馬上對她說巧姐願意交給劉姥姥。劉姥姥便把這話記在心裡。

寶玉聽說妙玉被賊劫，不知去向，於是一一追思起來，想到莊子上的話，人間虛無縹緲，人生在世，難免風流雲散！不覺地大哭起來。襲人等認爲他的舊病發作，因溫柔地解勸。寶釵知道寶玉是爲妙玉的事，便用正言解釋，提起賈蘭多用功，寶玉無言可答。不久，寶玉忽見屋裏人少，想起紫鵑到了這裏，從沒和她說句知心的話。又想起從前生病的時候，她在這裏伴了好些時。但如今不知爲什麼，紫鵑見寶玉就是冷冷的。因此，寶玉想定主意，輕輕的走出了房門，來找紫鵑說話。紫鵑在屋裏，知道他素有痴病，恐怕一時勾起他的舊病，叫寶玉回去。寶玉因紫鵑不理他，傷心地哭了，便急的跺腳道：「這事怎麼說！我的事情，你在這裏幾個月，還有什麼不知道的？就便人不肯替我告訴你，難道你還不叫我說，叫我彆死了不成？」說著，嗚咽起來。紫鵑被寶玉一招，越發心裏難受，直哭了一夜，又看寶玉對黛玉還是這麼癡情，之前對寶玉的恨都消失了。

第一百十四回　王熙鳳歷幻返金陵　甄應嘉蒙恩還玉闕

鳳姐的病越來越嚴重，一直說什麼要船要轎，趕到金陵歸入什麼冊子去等等胡話，稀奇古怪地死去了。賈璉此時手足無措，叫人傳了賴大來，叫他辦理喪事。但是手頭不濟，諸事拮据，想起鳳姐素日的好處來，更加悲哭不已。又見巧姐哭得死去活來，越發傷心。哭到天明，即刻打發人去請他大舅子王仁過來幫忙。王仁看鳳姐的喪禮辦得草草了事，心裡想雖然賈府被抄，但鳳姐生前積了多少銀子，必是怕自己來纏他們，才這麼做。王仁想到這兒，便很生氣。平兒看賈璉沒錢，把自己的東西拿來當錢使用。賈璉心裡很感激平兒，此後，諸凡事情都與平兒商量了。

甄家曾因抄家敗落，最近甄老爺蒙皇恩復職，帶妻兒老小進京，欲讓兒子甄寶玉到賈府拜訪。寶玉得知甄寶玉不僅和他同名，且相貌舉止都頗相似，想著二人一定也是同心，故巴不得快快相見。

第一百十五回 惑偏私惜春矢素志 證同類寶玉失相知

幾天後，甄寶玉終於來了。寶玉一看，那甄寶玉果然和他長得絲毫不差，幸虧兩人服飾不同，否則連甄夫人和王夫人恐怕也難分辨。賈寶玉和甄寶玉同名同貌，剛見面時還以爲得了知己。可是當甄寶玉發表了一套「文章經濟」、「爲忠爲孝」的高論後，賈寶玉就斥責爲祿蠹，感到冰炭不投。寶玉只恨這種祿蠹蠢物如何也生了個清奇不俗的相貌，回屋裡便和寶釵說了。寶釵卻十分欣賞甄寶玉，便說教了寶玉一番。寶玉聽了，並不言語，只是傻笑。

甄寶玉和寶釵的說教使寶玉甚不耐煩，心中悶悶昏昏，不覺又勾起了舊病。寶釵以爲因自己說錯了，寶玉冷笑，故沒有留神。幸虧王夫人來看他們，發現寶玉神魂失所，急忙叫請大夫。吃了幾副藥，卻沒有用。幾天過去，寶玉病重得連飯也不能吃了，一家人著起急來。再請大夫，藥都不肯給開了，只讓預備後事。王夫人痛哭不止，賈政親自來看視，見那光景確實沒救了，也無可奈何，只好讓賈璉去準備寶玉的後事。賈璉領命不敢不辦，要辦又沒錢。正左右爲難，一個家人跑來報告說：門上有一個和尚來，手裡拿著寶玉丟的那塊玉，說要一萬賞銀。正說著，門口有人喊著和尚自己跑進來了，和尚已進到屋裡，見了賈政也不打招呼，逕直朝裡屋跑進去。賈璉趕上來攔住和尚，但和尚一把甩開賈璉，直闖進去。王夫人她們正哭著，突然見一個和尚不知從哪兒進來，都吃了一驚，躲避不及。和尚毫不理會，走到寶玉床前，先瞧了一眼，方對王夫人她們說：我是送玉來的，快把銀子拿出來，我好救他。賈府剛經歷了抄家，又辦了賈母、鴛鴦、鳳姐的喪事，又遭了賊劫，早就沒錢，一下子哪兒去拿一萬兩銀子？王夫人救子心切，也不管那些，一口應承：「若是救活了人，銀子是有的。」那和尚笑道：「拿來！」王夫人說：「你放心，橫豎折變得出來。」和尚哈哈大笑，這才拿著那玉在寶玉耳邊叫道：「寶玉，寶玉！你的『寶玉』回來了。」只見寶玉果然把眼一睜，問道：「在那裡呢？」那和尚把玉遞與他。寶玉緊緊攥著，一會兒又慢慢地放到眼前仔細一看，說：「阿喲！久違了。」竟起死回生。裡外衆人都高興得連連念佛。賈璉過來一看，心裡一喜，又生怕那和尚要銀子，急忙躲出去了。和尚也不言語，緊追上來，拽著他去見賈政。賈政看那銀子賴不掉，只好找王夫人去商量籌措。寶玉這會覺得餓了，喝了一碗粥，又吃了飯，漸漸有了些精神，就要坐起來。麝月上去扶起，因心裡高興忘了情，便道：「眞是寶貝！才看見了一會兒，就好了。虧得當初沒有砸破！」寶玉一聽，神色一變，把玉一撂，身子一仰，倒在床上。

第一百十六回　得通靈幻境悟仙緣　送慈柩故鄉全孝道

賈政趕來一看，寶玉牙關緊閉，連脈都摸不著，再摸心窩，還有溫熱。賈政急忙請和尚，但那和尚早無蹤影。此時，寶玉的靈魂早已出了竅了，隨那和尚來到了兒時曾夢遊過的警幻仙境，看見黛玉、晴雯等都已成仙，偷看過許多仙機，又被那和尚狠命一推，口裡「阿喲」一聲，一跤跌回塵世，甦醒過來。寶玉醒後堅定了他拋卻塵緣的信念，但掛念「天恩祖德」未報。賈政虛驚一場，看他已脫險，便留賈璉看家，自送賈母、秦可卿、黛玉的靈柩回南安葬。恰好正值科舉考試年頭，賈政動身前吩咐賈璉讓寶玉和賈蘭一塊兒應試。寶玉想眞是天賜良機，若中了舉人，光宗耀祖，也算對得起父母了，然後便可毫無牽掛地去做和尚。從此，他便不但厭棄功名，竟把兒女情緣也看淡了些。衆人不大理會，寶玉也並不說出來。

第一百十七回　阻超凡佳人雙護玉　欣聚黨惡子獨承家

和尚又來要那一萬銀子，王夫人著急，偏偏賈璉不在家，因打發人來叫寶釵過去商量。寶玉聽見說是和尚在外頭，趕忙獨自一人走到前頭，嘴裡亂嚷道：「我的師父在那裡？」寶玉看見那僧的形狀與他死去時所見的一般，心裡早有些明白了，便上前施禮。然後寶玉走到自己院內，忙向自己床邊取了那玉，便走出來。正好碰見襲人，襲人聽寶玉說把玉還給和尚的話，嚇了一跳，急忙拉住寶玉，但寶玉狠命的把襲人一推，抽身要走。紫鵑在屋裡聽見寶玉要把玉給人，這一急比別人更甚，把素日冷淡寶玉的主意都忘了，連忙跑出來，幫著抱住寶玉。王夫人、寶釵急忙趕來，見是這樣情景，王夫人便哭了。寶玉見王夫人來了，明知不能脫身，只得笑著道：「他們總是這樣大驚小怪。我說那和尚不近人情：他必要一萬銀子，少一個不能。我生氣進來，拿了這玉還他，就說是假的，要他做什麼？他見我們不希罕那玉，便隨意給他些，就過去了。」王夫人和寶釵不讓他把玉還給和尚。寶玉就求和尚帶了他去，那和尚不肯。

賈璉又突然接到賈赦病重的信，讓他速去見上一面。賈璉要外出探望病重的父親，只好把家事交給賈芸、賈薔看管。理由是：「薔兒芸兒雖說糊塗，到底是男人。」鳳姐一死，探春遠嫁，女流之輩是沒有能撐台的了。男人中「玉」字輩的寶玉是根本不管家，賈環更不是當家的料。只有「草」字輩的賈薔、賈芸了。又特意把巧姐託付給王夫人，便匆匆上路了。可是賈璉走後，薔兒、芸兒他們更加肆無忌憚，和邢大舅、王仁這些流氓勾結起來，賭錢、喝酒，無惡不作，把整個榮國府鬧得沒上沒下，沒裡沒外。賈環也更加宿娼濫賭，無所不爲。有一天，這些人圍在一起喝酒，幾杯酒下肚，邢大舅就開始說他姐姐不好，王仁便說他妹妹不好。賈環最恨鳳姐，趁機也說了她許多壞話。在旁陪酒的人聽了鳳姐有個女兒巧姐，說：「可惜這樣人生在府裡這樣人家！若生在小戶人家，父母兄弟都做了官，還發了財呢！現今有個外藩王爺，最是有情的，要選一個妃子，若合了式，父母兄弟都跟了去，可不是好事嗎？」衆人都不大理會，只有王仁心裡略動了一動，仍然喝酒。此時賴林兩家的子弟來說，賈雨村被人家參了個「婪索屬員」的幾款。

第一百十八回　記微嫌舅兄欺弱女　驚謎語妻妾諫癡人

惜春自從妙玉被劫，立意出家。尤氏以爲惜春故意和她作對，並不在意。賈政、王夫人卻竭力阻攔，賈政甚至說過：「若是必要這樣，就不是我們家的姑娘了。」無奈惜春絕食抗爭，寧死不渝，只求一兩間淨室，給她誦經拜佛。尤氏見都不肯做主，又怕惜春尋死，自己便硬做主張，她們吵起架來。尤氏去找王夫人商量，王夫人看惜春堅定的態度，只好讓她在家帶髮修行。紫鵑難忘黛玉厚恩，請求王夫人准她脫俗，服侍陪伴惜春終身。

寶釵和襲人以封建道德來勸諫寶玉，要寶玉沿著仕途經濟的道路往上爬。寶玉竟讓她們說得理屈辭窮，並認爲她們所說的還不離其宗。他便把《莊子》、《參同契》、《元命苞》、《五燈會元》等平時最喜歡的幾本佛道的書統統拋開，讓麝月、秋紋、鶯兒等收拾出一間屋子，翻出四書五經，閉門苦讀。王夫人以爲他改邪歸正，十分欣慰，一心盼他中舉。只有寶釵看他變得太快，心中將信將疑，喜憂參半。

賈芸也受過鳳姐的窩囊氣，又這幾天賭輸了錢，還不起債，就和賈環、王仁商量把巧姐賣給陪酒的所說的那個外藩。又串通邢大舅，想好計策，賈芸就去找邢夫人和王夫人，說得天花亂墜。邢大舅又找他姐姐說了，邢夫人動了心，就叫賈芸他們去提親。那王爺不知底細，便派人來相親。這伙人買通相親的，讓到了賈府不要提外藩之類的話。邢夫人也不告訴巧姐，只說有親戚來看她，哄她過去讓人相看。平兒覺得不對勁兒，悄悄找邢夫人的丫頭們打聽，嚇得急忙請李紈、寶釵告訴了王夫人。王夫人去找邢夫人，不料邢夫人信了兄弟並王仁的話，反疑心王夫人不是好意，便說：「孫女兒也大了。現在璉兒不在家，這件事，我還做得主。況且他親舅爺爺和他親舅舅打聽的，難道倒比別人不眞麼？我橫豎是願意的。倘有什麼不好，我和璉兒也怨不著別人。」王夫人聽了這些話，心下暗暗生氣，只好不管。

第一百十九回　中鄉魁寶玉卻塵緣　沐皇恩賈家延世澤

轉眼到了考試的日期。寶玉、賈蘭打好行裝，準備赴考。王夫人千叮萬囑，讓他們出門當心，好好照顧自己，交了卷早些回來。賈蘭一一答應，寶玉卻默不作聲。等王夫人說完，他才雙膝跪下，兩眼含著淚給王夫人磕了三個頭，說：「母親生我一世，我也無可報答。只有這一入場，用心作了文章，好好的中個舉人出來，那時太太喜歡喜歡，便是兒子一輩子的事也完了，一輩子的不好，也都遮過去了。」並對李紈說：「嫂子放心！我們爺兒兩個都是必中的。日後蘭哥還有大出息，大嫂子還要帶鳳冠穿霞帔呢。」又走到寶釵跟前，深深地作了一個揖。旁邊的人看他行爲古怪，也摸不著頭，又不敢笑他，卻見他一本正經地對寶釵說：「姐姐！我要走了。你好生跟著太太，聽我的喜信兒罷！」寶釵預感到將會發生什麼不祥之事，聽到這裡，淚水止不住掉下來，又極力忍住，催促寶玉：「是時候了，你不必說這些嘮叨話了。」寶玉說：「你倒催得我緊，我自己也知道該走了！」見大家都來送行，只有惜春、紫鵑沒來，就說：「四妹妹和紫鵑姐姐跟前，替我說一句罷。橫豎是再見就完了。」王夫人和寶釵不知爲什麼，總覺得像要生離死別似的，望著寶玉轉身離去，眼淚滾滾而落，幾乎失聲痛哭。但見寶玉仰天大笑道：「走了，走了！不用胡鬧了！完了事了！」跨出了賈府大門。

寶玉、賈蘭出門赴考，而賈環見他們去了，自己又氣又恨，便自大為王，說：「我可要給母親報仇了！家裡一個男人沒有，上頭大太太依了我，還怕誰！」想定了主意，趁機又到邢夫人那兒挑撥，並說王府已定，三日內就要來娶。只因是罪犯的孫女，只好悄悄地抬過去。邢夫人一心只想跟著沾光，不管巧姐委屈，滿口答應。

邢夫人的丫頭已暗中給平兒、巧姐送了信，巧姐死活不從，哭著要找邢夫人去。平兒攔住她，說不能冒失。還沒想出主意，邢夫人已派人來告訴平兒給巧姐收拾東西，準備過門。王夫人來看巧姐，巧姐撲到她懷裡痛哭起來。一屋人正哭作一團，劉姥姥來了，進屋一瞧個個眼圈紅紅的，就問：「怎麼了？太太姑娘們必是想二姑奶奶了。」巧姐聽見提起她母親，又大哭起來。平兒知道鳳姐曾把巧姐託付給了劉姥姥，便把巧姐的事全部講了。劉姥姥先聽了一驚，想了半天，忽然笑道：「你這樣一個伶俐姑娘，沒聽見過『鼓兒詞』麼？這上頭的方法兒多著呢，這有什麼難的！」平兒趕忙問道：「姥姥！你有什麼法兒？快說罷！」劉老老道：「這有什麼難的呢：一個人也不叫他們知道，拿起來扔崩一走就完了事了。」讓巧姐先到她村裏去藏起來，再想法找人給賈璉報信。王夫人想不出再好的辦法，只好裝作不知，故意找邢夫人聊天去。平兒帶著巧姐趁機上了劉姥姥的車，出城去了。估計她們已走遠，王夫人才故作生氣地找賈環、賈芸要人，說他們逼死了平兒和巧姐。賈環、賈芸目瞪口呆，連邢夫人也傻了眼。巧姐來到鄉下，天天吃著鮮果鮮菜，和青兒盡情玩，比在賈府還舒服。一家姓周的富戶，有個兒子和她年貌相當，又新中秀才，他媽十分喜歡巧姐。後來賈璉回來，劉姥姥便給兩家做媒，把巧姐嫁給了周家，沒有辜負鳳姐當初的一片心意。

到了出場日，王夫人只盼著寶玉、賈蘭回來。等到下午都不見人影。派人找了半天，才看賈蘭哭著回來說，把寶玉走失了。王夫人是哭得一句話也說不出來，寶釵心裡已知八九，襲人痛哭不已。賈薔等不等吩咐，分頭而去，找了好幾天，仍舊一點消息都沒有。如此一連數日，王夫人哭得飲食不進，命在垂危，又聽說探春回京，雖不能解寶玉之愁，心略放了些。衆人遠遠接著，見探春出跳得比先前更好了，服采鮮明。探春聽見寶玉走失，家中多少不順的事，大家又哭起來。

直到放榜那一天，有人敲鑼打鼓來報喜說：「寶玉中了第七名舉人，賈蘭也中了第一百三十名。」中舉次日，寶玉的消息還是沒有，賈蘭只得先去謝恩。皇上一一的披閱看取中的文章，俱是平正通達的，看見寶玉的文章，又看見賈蘭也中了，傳旨詢問他們是否元妃的親戚。因此賈蘭將寶玉出場後迷失的話，並將三代呈明，大臣代轉。皇上想起賈氏功勳，命大臣查覆。大臣便細細的奏明。皇上甚是憫恤，命有司將賈赦犯罪情由，查案呈奏。皇上又看到「海疆靖寇班師善後事宜」一本，奏的是「海宴河清，萬民樂業」的事。聖心大悅，命九卿敘功議賞，並大赦天下。

第一百二十回 甄士隱詳說太虛情 賈雨村歸結紅樓夢

王夫人仍派人去找寶玉，一方面又寫信寄給賈政。寶玉仍舊一點消息都沒有。王夫人也死了心，將寶玉的丫頭都打發出去。唯有襲人，因爲王夫人曾默許她做寶玉的妾，所以她情願跟著寶釵守寡。王夫人不忍心，叫襲人兄嫂來接她回去。襲人處處都在替別人著想：不能辜負太太的好心，也不能害了哥哥，又不能辜負蔣家一番好意。因而襲人嫁給了蔣玉函。

薛姨媽得了赦罪的信，便命薛蝌各處借錢，自己又湊了些。赴刑部交了銀子，將薛蟠放出。薛姨媽便把香菱與薛蟠爲正室，後來香菱難產了一個兒子，就去世了。

賈政到金陵安葬了賈母，處理一些雜事。一天接到家信，打開一看，寫著寶玉中了第七名，賈蘭中了第一百三十名，心裡很高興。讀到後面，卻是寶玉出考場走失，至今沒有找到。賈政連忙動身往回趕。一天，來到毘陵驛地方，賈政把船停在一個僻靜的地方，派人上岸辦事，自己只留一個小廝伺候，自己在船中寫家書，寫到寶玉的事，便停下筆。抬頭忽見船頭上微微雪影裡面一個人，光著頭，赤著腳，身上披著一領大紅斗蓬，向他倒身下拜。賈政急忙出船，才要還揖，迎面一看，不是別人，卻是寶玉。賈政吃一大驚，忙問道：「可是寶玉麼？」那人只不言語，似喜似悲。只見又來了一僧一道，夾住寶玉道：「俗緣已畢，還不快走？」說著，三人飄然登岸而去。賈政不顧地滑，疾忙趕來，那裡趕得上？只聽得三人中一個口中唱著。三個人轉過一個小土坡，忽然不見了。

末了是士隱、雨村二人總說歸結。

最後結以四句偈語：

「說到辛酸處，荒唐愈可悲。由來同一夢，休笑世人痴！」